Dedication

KU-030-769

This book is dedicated to my only daughter Tracy on her 21st
birthday.

You will always have a special place in my heart
- just for you.

love m☺m

Acknowledgements

I want to thank ...

♣   my children Simon, Tracy and Gavin for your support, motivation, suggestions and in particular your love and patience.

♣   my father, mother, Angie, Liz and Danny for your support.

♣   all the students and teachers at the Irish College of English who gave very positive comments and suggestions on how to make this book comprehensive but simple and easy to understand. In particular I would like to thank the following: Tim Casey, Anne Farrell, Feargal Gallagher, Peter, Carmel and Simon Gibson, Heather Hamilton, Dorothy Lank, and Gavin O'Sullivan.

♣   two very special people, Deirdre Rochford and Susan McElhinney.

♣   Tomaso for your encouragement and motivation.

♣   ...and finally to YOU, most importantly, for buying this book!

I am grateful for any comments or suggestions about this book and
I am happy to answer any questions.
You can email me at: info@celticpublications.com

Many thanks,

Marianne Jordan

Contents

Introduction

Phonetics is the study of the sounds that people make when they speak. Some languages match the sounds to the writing of the language so that every letter or symbol is always sounded/pronounced the same way. These languages are called phonetic languages.

The English language is not a phonetic language. Many words are pronounced very differently from how they are written. This is very confusing for learners of English who have a phonetic language.

Some learners of English are excellent at vocabulary and grammar but people find it hard to understand them because of their incorrect pronunciation. This is very frustrating for the speaker and the listener.

Many learners of English find it very difficult to pronounce some of the English sounds because these sounds are not in their own languages. This is normal for any learner of any language but with practice and guidance these sounds can be learned, just the way you had to learn your own language when you were a baby!

To overcome many of these pronunciation problems every learner of English should *first* study and learn the *International Phonetic Symbols* used in the English language. There are many international phonetic symbols for all languages. The symbols used for the English language are on page i*x*. Some of these symbols will also be used in your language! (We have lists of these for some languages. Email us: info@celticpublications.com) The *letters of the alphabet* show you *how to <u>write and read</u>* English words. The **phonetic symbols** show you *how to **<u>pronounce</u>*** English words.

DO NOT CONFUSE the sounds of the letters of the alphabet with the sounds of the phonetic symbols (see page ix) for example, the *alphabet letter **P*** is pronounced /pi:/ = the sound /p/ plus the sound /i:/. The phonetic symbol for a sound is always inside forward slash lines **/... /**

All good dictionaries will show these symbols beside the English word you want to translate.

> **green**[1] /griːn/ *adjective (greener,* 1 something that is green is the colour of grass; a green car

This book will teach you these special symbols and the accompanying Audio CD will teach you the matching sounds for each of the phonetic symbols used in the English language. Soon, after doing the practice exercises in this book, you will be able to read and pronounce every English word with the help of these phonetic symbols.

But!.....you must practise and <u>don't give up too soon</u>!!

Terminology

British English

This is the official English language spoken in England and also other British English speaking countries such as Wales, Scotland, Ireland, Australia, New Zealand and many more. Each of these countries (and regions within some of these countries) has a variation of pronunciation but the spelling and grammar are the same. British English uses 45 of the international phonetic symbols.

American English

This is the English language spoken in North America. Some of the pronunciation, spelling and grammar are different from British English. American English uses 52 of the international phonetic symbols. (Many of these are the same as British English.)

Alphabet

Letters consisting of consonants and vowels used to read and write.

Phonetic Symbols

Internationally recognised symbols used to pronounce all the sounds in all languages representing consonants, vowels and diphthongs.

Consonants

The letters of the alphabet and the phonetic sounds which are not vowels (letters = b, c, d, f, g, etc.). *(See 'The Alphabet' on page ix and the consonant sounds/symbols on pages 1 - 18)*

Vowels

The letters of the alphabet and phonetics sounds which are not consonants (letters = a, e, i, o and u). *(See 'The Alphabet' on page ix and the vowel sounds/symbols on pages 19 – 35 and also two vowel sounds together (diphthongs) on pages 37 – 46)*

Diphthongs

The pronunciation of two vowel sounds together pronunced as one syllable. *(See pages 37 - 46)*

Syllable

A syllable is the part of a word that has <u>one vowel</u> *sound*.
For example, the word *dictionary* has four syllables: dic-tion-ar-y
The word *vowel* has two syllables: vo-wel
The word *sound* has one syllable: sound (note: the word *sound* has <u>two</u> vowels, o and u, but the combination of these two vowels is a <u>diphthong</u> making <u>one</u> vowel sound in pronunciation.) *(See "Diphthongs" pages 37 - 46)* (If you need more help with syllables, contact us at our email address: info@celticpublications.com)

Stress

Where there are two or more syllables in a word, one of the syllables is said with extra force or energy. *(See the section on "Stress" on the next page.)*

الهمم أمية يورز اجهاد

Stress

This is the force or energy given to one or two of the syllables of a word
with two or more syllables. Usually the stress is on the first syllable of
nouns (n) and adjectives (adj) and on the second syllable of verbs (v).
However, check your dictionary as there are many exceptions.

Look at the word *family* in your dictionary.
First you will see the word *family* in alphabet letters to tell you how to
spell the word when you are writing it and then immediately beside the
word *family* you will see the **phonetic symbols** for the word *family*:

family / ˈfæməli/ (n)   to tell you how to **pronounce** the word.

↑

This is the stress mark.

As the word *family* is a noun (n) the stress is on the first syllable. *fa*-mi-l*y*

There are two types of stress:
ˈ = primary or strong stress
ˌ = secondary or weak stress

Look at the word *international* in your dictionary: /ˌɪntə(r)ˈnæʃnəl/
The phonetic symbols are showing you that there is weak stress on the first
syllable and strong stress on the third syllable. *in*-ter-*na*-tion-al
Always check your dictionary if you are not sure.

Always learn new words correctly the first time!

Silent 'r'

British English only pronounces the letter *r* when it is before a vowel
(except before the final vowel of a word).
American English always pronounces the letter *r*.

All words in this book that have a letter *r* which is silent in British English
but not in American English will show the letter *r* in brackets like this: (r)

Example: war /wɔː(r)/

British English   = /wɔː/
American English = /wɔːr/

(See also page 85)

Phonetic Symbols

The Phonetic Symbols used in the English Language:

Consonants

/p/	pen /pen/
/b/	big /bɪg/
/t/	tea /tiː/
/d/	do /duː/
/k/	cat /kæt/
/g/	go /gəʊ/
/f/	four /fɔː(r)/
/v/	very /'veri/
/s/	son /sʌn/
/z/	zoo /zuː/
/l/	live /lɪv/
/m/	my /maɪ/
/n/	no /nəʊ/
/h/	happy /'hæpi/
/r/	red /red/
/j/	yes /jes/
/w/	want /wɒnt/
/θ/	thanks /θæŋks/
/ð/	the /ðə/
/ʃ/	she /ʃiː/
/ʒ/	television /'telɪvɪʒn/
/tʃ/	child /tʃaɪld/
/dʒ/	German /'dʒɜː(r)mən/
/ŋ/	ink /ɪŋk/

Vowels

/iː/	see /siː/
/ɪ/	his /hɪz/
/i/	twenty /'twenti/
/e/ or /ɛ/	ten /ten/ or /tɛn/
/æ/	cat /kæt/
/ɑː/	father /'fɑːðə(r)/
/ɔ/ or /ɒ/	hot /hɔt/ or /hɒt/
/ɔː/	morning /'mɔː(r)nɪŋ/
/ʊ/	football /'fʊtbɔːl/
/uː/	you /juː/
/ʌ/	sun /sʌn/
/ɜː/	learn /lɜː(r)n/
/ə/	letter /'letə(r)/

Diphthongs

(two vowel sounds together)

/eɪ/	name /neɪm/
/əʊ/	go /gəʊ/
/aɪ/	my /maɪ/
/aʊ/	how /haʊ/
/ɔɪ/	boy /bɔɪ/
/ɪə/	hear /hɪə(r)/
/eə/	where /weə(r)/
/ʊə/	tour /tʊə(r)/

The Alphabet

A /eɪ/	G /dʒiː/	M /em/	S /es/	Y /waɪ/
B /biː/	H /heɪtʃ/	N /en/	T /tiː/	Z /zed/
C /siː/	I /aɪ/	O /əʊ/	U /juː/	
D /diː/	J /dʒeɪ/	P /piː/	V /viː/	
E /iː/	K /keɪ/	Q /kjuː/	W /'dʌbljuː/	
F /ef/	L /el/	R /ɑːr/	X /eks/	

The Vowels

A /eɪ/	E /iː/	I /aɪ/
O /əʊ/	U /juː/	

Stress

'primary or strong stress

,secondary or weak stress

'Voiced' and 'Unvoiced'

Some of the sounds are 'voiced' which means you make a sound (from your throat) as you pronounce them. All vowels, diphthongs and most of the consonants are voiced. Put your hand gently on your throat. Start talking now (about anything – even in your own language). You can *feel* the *sound/vibration* when you speak as you make 'voiced' sounds.

Some of the consonants are 'unvoiced' (not 'voiced'). Put the back of your hand close to your mouth. Blow air from your mouth. You can *feel* the air from your mouth on your hand. There is no sound from your throat. There is a little noise from pushing air through your mouth.

Consonants

Unvoiced

/p/ **pen** /pen/

Voiced

/b/ **big** /bɪg/

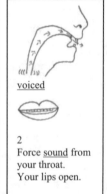

1
First, put your lips together. Your tongue is forward. Your tongue doesn't touch your teeth.

2
Force <u>air</u> out through your lips. No voice. Your lips open.

1
(Exactly as for /p/)

voiced

2
Force <u>sound</u> from your throat. Your lips open.

Put the back of your hand close to your mouth.
Make this /p/ sound again.
A lot of air comes out.

Put the back of your hand close to your mouth.
Make this /b/ sound again.
Very little air comes out.

Unvoiced

Voiced

/t/ tea /ti:/

/d/ do /du:/

voiced

1
Open your lips.
Press the tip of
your tongue
against the back
of your top teeth.

2
Force <u>air</u> out of
your mouth and
move your
tongue down.

1
(Exactly as for
/t/)

2
Force <u>sound</u> from
your throat and
move your tongue
down.

Put the back of your hand close to
your mouth.
Make this /t/ sound again.
A lot of air comes out.

Put the back of your hand close to your
mouth.
Make this /d/ sound again.
Very little air comes out.

/k/ cat /kæt/

/g/ go /gəʊ/

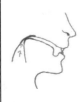
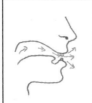
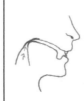

voiced

1
Open your lips.
Press the back
of your tongue
against the roof
of your mouth.

2
Force <u>air</u> out of
your mouth and
move your
tongue
down.

1
(Exactly as for
/k/)

2
Force <u>sound</u>
from your throat
and move your
tongue down.

Put the back of your hand close to
your mouth.
Make this /k/ sound again.
A little air comes out.

Put the back of your hand close to
your mouth.
Make this /g/ sound again.
No air comes out.

Unvoiced

/f/ four /fɔ:(r)/

Voiced

/v/ very /'veri/

voiced

1
(Exactly as for /f/)

2
Force <u>sound</u> out between your lips.
(Some air will also come out)
Your bottom lip vibrates.
Sound from your throat.

1
Open your lips.
Touch your bottom lip with your top teeth.

2
Force <u>air</u> out between your lips.

Put the back of your hand close to your mouth.
Make this /f/ sound again.
A lot of air comes out.

Put the back of your hand close to your mouth.
Make this /v/ sound again.
A little air comes out.

/s/ son /sʌn/

/z/ zoo /zu:/

1
Open your lips.
Your top teeth touch your bottom teeth.

2
Force <u>air</u> loudly out between your teeth.

1
(Exactly as for /s/)

voiced

2
Force <u>sound</u> out between your teeth.
Sound from throat.

Put the back of your hand close to your mouth.
Say this /s/ sound again.
A little air comes out.

Put the back of your hand close to your mouth.
Make this /z/ sound again.
Very little air comes out.

Unvoiced **Voiced**

/h/ **happy** /ˈhæpi/

/l/ **live** /lɪv/

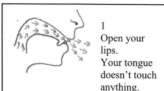

1
Open your lips.
Your tongue doesn't touch anything.

2
Quickly force air out of your mouth from your throat.

Put the back of your hand close to your mouth. Say this /h/ sound again.
A lot of air comes out. You can really feel this. Put a tissue or a small piece of paper on the back of your hand. Say this /h/ sound again. The tissue or paper should move!

1
The tip of your tongue touches the top of the inside of your top teeth.

voiced

2
Force sound from your throat.

Put the back of your hand close to your mouth.
Say this /l/ sound again.
Very little air comes out.

/θ/ **thanks** /θæŋks/

/ð/ **the** /ðə/

1
Open your lips.
Put the tip of your tongue between your teeth and out a little.

2 Put your index finger against your lips.
Your tongue touches your finger if you do this correctly.

3
Force <u>air</u> out of your mouth between your teeth.

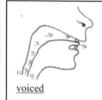

voiced

1
(As for /θ/)

2
(As for /θ/)

3
Force <u>sound</u> from your throat.
The tip of your tongue vibrates a little.

Put the back of your hand close to your mouth. Make this /θ/ sound again.
A lot of comes out.
You can really feel this.

Put the back of your hand close to your mouth.
Make this /ð/ sound again.
A little air comes out.

Unvoiced

Voiced

/ʃ/ she /ʃiː/

1
Your lips are open, protruding and rounded.
Your tongue is raised but not touching anything.
Your teeth are touching.

2
Force <u>air</u> out of your mouth.

Put the back of your hand close to your mouth.
Say this /ʃ/ sound again.
A little air comes out.

/ʒ/ television /ˈtelɪvɪʒn/

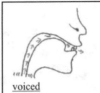

1
(Exactly as for /ʃ/)

voiced

2
Force <u>sound</u> from your throat.

Put the back of your hand close to your mouth.
Say this /ʒ/ sound again.
Very little air comes out.

/tʃ/ child /tʃaɪld/

1
Your lips are open, slightly protruded and rounded. Your tongue presses the roof of your mouth behind your top teeth. Your teeth are touching.

2
Force <u>air</u> out of your mouth.
This is a very quick and short sound.

Put the back of your hand close to your mouth.
Make this /tʃ/ sound again.
A little air comes out.

/dʒ/ German /ˈdʒɜː(r)mən/

1
(Exactly as for /tʃ/)

voiced

2
Force <u>sound</u> from your throat.

Put the back of your hand close to your mouth.
Make this /dʒ/ sound again.
Very little air comes out.

The following consonants are all voiced:

/m/ my /maɪ/

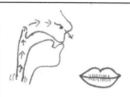

voiced

Close your lips.
Your tongue is down not touching anything.
Sound from your throat.
Sound exits through your nose.
A little air also exits your nose.

/n/ no /nəʊ/

voiced

Open and widen your lips.
Put your tongue on the roof of your mouth.
Touch your side teeth with the sides of your tongue.
The tip of your tongue is touching the top of your back teeth.
Sound from your throat exiting your nose.

/ŋ/ ink /ɪŋk/

voiced

Open and widen your lips.
Touch the back of the roof of your mouth with the back of your tongue.

Sound from your throat.
Sound exits your nose.

/r/ red /red/

voiced

Open and slightly round your lips.
Your tongue is curled up but the tip doesn't touch anything. The sides touch the sides of your back teeth.

Sound from your throat out of your mouth.

/j/ yes /jes/

voiced

Open your lips.
Your teeth are apart.
Your tongue doesn't touch anything.

Force sound quickly from your throat.

/w/ want /wɒnt/

voiced

Pucker your lips (as if to kiss) and open your lips slightly (still puckering).
Your teeth are apart.
Your tongue is back and doesn't touch anything.

Short sound from your throat. Your lips open slighty more.

Vowels (all voiced)

/iː/ see /siː/

Open your lips slightly and wide.
Your tongue is forward but doesn't touch anything.

voiced

This sound is long.
Two dots (:) after a symbol mean the sound is a long sound.

/ɪ/ his /hɪz/

Open your lips a little.
Your tongue is forward and a little lower than for /iː/

voiced

This sound is very short.
DO NOT confuse with /iː/ or /i/

/i/ twenty /ˈtwenti/

Exactly the same as /iː/ but the sound is shorter.

/e/ or /ɛ/ ten /ten/ or /tɛn/

Open your lips as for /iː/ but not as wide.
Your tongue is slightly lower than for /ɪ/

/ɜː/ learn /lɜː(r)n/

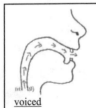

voiced

This sound is long.
(There are two dots after the symbol.)

/ə/ letter /ˈletə(r)/

As for /ɜː/ except the lips are not pouted. Your tongue is forward but doesn't touch anything and it is slightly lower than for /ɜː/

voiced

The sound is short.

© Celtic Publications 2006   xvi

/æ/ cat /kæt/

voiced

Open your lips wide and round.
Your tongue is forward and down
but not touching anything.

/ɑ:/ father /ˈfɑ:ðə(r)/

Open your lips wide and very round.
Your tongue is back, not touching
anything.

This sound is long.

/ɔ/or /ɒ/ hot /hɔt/ or /hɒt/

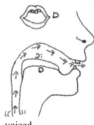

voiced

Open your lips slightly and round.
Your lips are slightly pouted.
Your tongue is back and not touching
anything.

/ɔ:/ morning /ˈmɔ:(r)nɪŋ/

As for /ɔ/or /ɒ/
Your tongue is slightly higher.
Lips are slightly pouted.

This sound is long.

/ʊ/ football /ˈfʊtbɔːl/

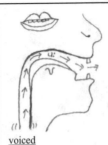

voiced

Open your lips slightly and slightly
pouted.
Your tongue is back and not touching
anything.

This sound is very short.

/uː/ you /juː/

Open your lips slightly and more
pouted than for /ʊ/
Your tongue is back and not touching
anything.
Your tongue is higher than for /ʊ/

This sound is long.

/ʌ/ sun /sʌn/

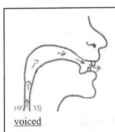

voiced

Open your lips slightly.
Move your tongue back a little.
Your tongue doesn't touch anything.

This sound is very short.

Diphthongs (all voiced)
(two vowels sounds together)

/eɪ/ name /neɪm/

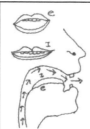

voiced

Open your lips slightly and wide.
Your tongue is forward not touching
anything.
Start with the sound /e/, then make it
long like /i/. Finish with /ɪ/
This sound is long.

/əʊ/ go /gəʊ/

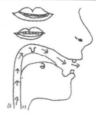

voiced

Open your lips slightly rounded.
Your tongue is forward not touching
anything.
Start with the /ə/ sound, then continue
the sound to /ʊ/ making your mouth
rounder.
This sound is short.

/aɪ/ my /maɪ/

voiced

Open your lips wide.
Your tongue is forward not touching
anything.
Start with the sound /ɑ:/ then continue
the sound to /ɪ/.
This sound is short.

/aʊ/ how /haʊ/

voiced

Open your lips wide.
Your tongue is forward not touching
anything.
Start with the /æ/ sound, then continue
the sound to /ʊ/ making your mouth
rounder.
This sound is short.

/ɔɪ/ boy /bɔɪ/

voiced

Open your lips round shaped.
Your tongue is forward not touching anything.
Start with the sound /ɔ:/ continue to the sound /ɪ/.
This sound is short.

/ɪə/ hear /hɪə(r)/

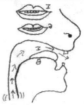

voiced

Open your lips slightly wide.
Your tongue is forward not touching anything.
Start with the sound /ɪ/ continue to the sound /ə/.
This sound is short.

/eə/ where /weə(r)/

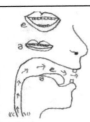

voiced

Open your lips slightly wide.
Your tongue is forward not touching anything.
Start with the sound /e/ continue to the sound /ə/.
This sound is short.

/ʊə/ tour /tʊə(r)/

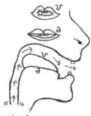

voiced

Open your lips slightly and slightly pouted.
Your tongue is forward not touching anything.
Start with the sound /ʊ/ continue to the sound /ə/.
This sound is short.

1 Listening 1

Listen carefully to the different sounds on the CD and

repeat the words.

Translate the words into your language.
Write a word in your language (if possible) that sounds like the English
sound. There will be some English sounds that are not in your language.
(We have lists of these for some languages. Email us: info@celticpublications.com)

Consonants		Voiced	Unvoiced	Your language	Similar sounds in your language
/p/	pen /pen/		✓	_____	_____
/b/	big /bɪg/	✓		_____	_____
/t/	tea /tiː/		✓	_____	_____
/d/	do /duː/	✓		_____	_____
/k/	cat /kæt/		✓	_____	_____
/g/	go /gəu/	✓		_____	_____
/f/	four /fɔː(r)/		✓	_____	_____
/v/	very /'veri/	✓		_____	_____
/s/	son /sʌn/		✓	_____	_____
/z/	zoo /zuː/	✓		_____	_____
/l/	live /lɪv/	✓		_____	_____
/m/	my /maɪ/	✓		_____	_____
/n/	no /nəu/	✓		_____	_____
/h/	happy /'hæpi/		✓	_____	_____
/r/	red /red/	✓		_____	_____
/j/	yes /jes/	✓		_____	_____
/w/	want /wɒnt/	✓		_____	_____
/θ/	thanks /θæŋks/		✓	_____	_____
/ð/	the /ðə/	✓		_____	_____
/ʃ/	she /ʃiː/		✓	_____	_____
/ʒ/	television /'telɪvɪʒn/	✓		_____	_____
/tʃ/	child /tʃaɪld/		✓	_____	_____
/dʒ/	German /'dʒɜː(r)mən/	✓		_____	_____
/ŋ/	ink /ɪŋk/		✓	_____	_____

Exercise 1

Match a word in Column A with the phonetic symbols in Column B.
The answers are on page 96.

Column A			Column B	
1	where	c	a	/ɪŋk/
2	child		b	/ˈdʒɜː(r)mən/
3	ink		c	/weə(r)/
4	do		d	/lɪv/
5	thanks		e	/ˈhæpi/
6	zoo		f	/fɔː(r)/
7	pen		g	/ʃiː/
8	live		h	/nəʊ/
9	big		i	/pen/
10	she		j	/tiː/
11	the		k	/ˈveri/
12	want		l	/ðə/
13	tea		m	/duː/
14	happy		n	/θæŋks/
15	very		o	/wɒnt/
16	four		p	/red/
17	go		q	/sʌn/
18	no		r	/ˈtelɪvɪʒn/
19	red		s	/kæt/
20	yes		t	/gəʊ/
21	son		u	/zuː/
22	television		v	/maɪ/
23	cat		w	/bɪg/
24	German		x	/tʃaɪld/
25	my		y	/jes/

Phonetic Script 1   

 Practise writing these phonetic symbols:

/θ/   _____

/ð/   _____

/ʃ/   _____

/ʒ/   _____

/tʃ/   _____

/dʒ/   _____

/ŋ/   _____

4 Listening 2

 Listen to the CD and

practise saying these sounds:

/θ/		Your Language	/ð/		Your Language
thanks	/θæŋks/	_____	the	/ðə/	_____
thing	/θɪŋ/	_____	them	/ðem/	_____
think	/θɪŋk/	_____	then	/ðen/	_____
thin	/θɪn/	_____	they	/ðeɪ/	_____
third	/θɜ:(r)d/	_____	there	/ðeə(r)/	_____
thirst	/θɜ:(r)st/	_____	this	/ðɪs/	_____
thirsty	/ˈθɜ:(r)sti/	_____	these	/ði:z/	_____
thirty	/ˈθɜ:(r)ti/	_____	those	/ðəʊz/	_____
three	/θri:/	_____	that	/ðæt/	_____
throw	/θrəʊ/	_____	than	/ðæn/	_____
tooth	/tu:θ/	_____	mother	/ˈmʌðə(r)/	_____
teeth	/ti:θ/	_____	father	/ˈfɑ:ðə(r)/	_____

/ŋ/			/n/		
ink	/ɪŋk/	_____	no	/nəʊ/	_____
sink	/sɪŋk/	_____	not	/nɒt/	_____
sing	/sɪŋ/	_____	name	/neɪm/	_____
think	/θɪŋk/	_____	never	/ˈnevə(r)/	_____
thing	/θɪŋ/	_____	nothing	/ˈnʌθɪŋ/	_____
wink	/wɪŋk/	_____	nose	/nəʊz/	_____
wing	/wɪŋ/	_____	night	/naɪt/	_____
learning	/ˈlɜ:(r)nɪŋ/	_____	now	/naʊ/	_____
singing	/ˈsɪŋɪŋ/	_____	noun	/naʊn/	_____

/r/			/l/		
red	/red/	_____	live	/lɪv/	_____
very	/ˈveri/	_____	large	/lɑ:(r)dʒ/	_____
mother	/ˈmʌðə(r)/	_____	learn	/lɜ:(r)n/	_____
father	/ˈfɑ:ðə(r)/	_____	leg	/leg/	_____
rose	/rəʊz/	_____	letter	/ˈletə(r)/	_____

Listening 3

Listen to the CD and

write the number **1** beside the first word you hear, the number **2** beside the second word you hear etc. Each word is repeated twice.
The answers are on page 96.

A	/θ/	**B**	/ð/
a ____	/θæŋks/	a ____	/ðə/
b ____	/θɪŋ/	b ____	/ðem/
c ____	/θɪŋk/	c ____	/ðen/
d ____	/θɪn/	d ____	/ðeɪ/
e ____	/θɜ:(r)d/	e ____	/ðeə(r)/
f ____	/θɜ:(r)st/	f ____	/ðɪs/
g ____	/'θɜ:(r)sti/	g ____	/ði:z/
h ____	/'θɜ:(r)ti/	h ____	/ðəuz/
i ____	/θri:/	i ____	/ðæt/
j ____	/θrəu/	j ____	/ðæn/
k ____	/tu:θ/	k ____	/'mʌðə(r)/
l ____	/ti:θ/	l ____	/'fɑ:ðə(r)/

C	/ŋ/	**D**	/n/
a ____	/ɪŋk/	a ____	/nəu/
b ____	/sɪŋk/	b ____	/nɒt/
c ____	/sɪŋ/	c ____	/neɪm/
d ____	/θɪŋk/	d ____	/'nevə(r)/
e ____	/θɪŋ/	e ____	/'nʌθɪŋ/
f ____	/wɪŋk/	f ____	/nəuz/
g ____	/wɪŋ/	g ____	/naɪt/
h ____	/'lɜ:(r)nɪŋ/	h ____	/nau/
i ____	/'sɪŋɪŋ/	i ____	/naun/

E	/r/	**F**	/l/
a ____	/red/	a ____	/lɪv/
b ____	/'veri/	b ____	/lɑ:(r)dʒ/
c ____	/'mʌðə(r)/	c ____	/'lɜ:(r)n/
d ____	/'fɑ:ðə(r)/	d ____	/leg/
e ____	/rəuz/	e ____	/'letə(r)/

6 Exercise 2

Write the missing phonetic symbols.
The answers are on page 96.

1 fa**th**er	/ˈfɑː__ə(r)/		22 **th**e	/__ə/
2 i**n**k	/ɪ__k/		23 **th**eir	/__eə(r)/
3 lear**n**i**ng**	/ˈlɜː(r)nɪ__/		24 **th**em	/__em/
4 mo**th**er	/ˈmʌ__ə(r)/		25 **th**en	/__en/
5 **n**ame	/__eɪm/		26 **th**ere	/__eə(r)/
6 **n**ever	/ˈ__evə(r)/		27 **th**e**s**e	/__iː__/
7 **n**ight	/__aɪt/		28 **th**ey	/__eɪ/
8 **n**o	/__əʊ/		29 **th**in	/__ɪn/
9 **n**o**s**e	/__əʊz/		30 **th**i**ng**	/__ɪ__/
10 **n**ot	/__ɒt/		31 **th**i**n**k	/__ɪ__k/
11 **n**o**th**ing	/ˈ__ʌθɪŋ/		32 **th**ird	/__ɜː(r)d/
12 **n**ou**n**	/__aʊ__/		33 **th**irst	/__ɜː(r)st/
13 **n**ow	/__aʊ/		34 **th**irsty	/ˈ__ɜː(r)sti/
14 ro**s**e	/rəʊ__/		35 **th**irty	/ˈ__ɜː(r)ti/
15 si**ng**	/sɪ__/		36 **th**is	/__ɪs/
16 si**ng**i**ng**	/ˈsɪ__ɪ__/		37 **th**o**s**e	/__əʊ__/
17 si**n**k	/sɪ__k/		38 **th**ree	/__riː/
18 tee**th**	/tiː__/		39 **th**row	/__rəʊ/
19 **th**an	/__æn/		40 too**th**	/tuː__/
20 **th**anks	/__æŋks/		41 wi**ng**	/wɪ__/
21 **th**at	/__æt/		42 wi**n**k	/wɪ__k/

7 Listening 4

Listen to the CD and

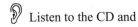 underline the word that sounds different.
Which phonetic symbol is different?
The answers are on page 96.

Play the CD again and repeat the words.

Example: Phonetic Symbol?

thanks **thi**nk **thi**n <u>**the**n</u>   /ð/ the rest are /θ/

1 **the**n   **the**y   **the**m   **thi**n   _____

2 **thr**ee   **thir**ty   **thr**ough   **tho**se   _____

3 si**ng**   wi**ng**   thi**ng**   thi**n**   _____

4 i**nk**   lear**ning**   si**ng**   lear**n**   _____

Phonetic Crossword 1

 Complete this crossword by writing the words into phonetic symbols.
The answers are on page 96.

Across➔
1 son
5 mother
7 think
9 ink
10 them
14 she
15 those
17 red

Down⬇
1 see
2 learning
3 think
4 tooth
6 the
8 key
10 there
11 father
12 these
13 do
16 zoo

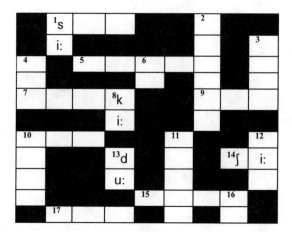

9 Listening 5

Consonants

Listen to the CD and

practise saying these sounds:

/h/

happy	/ˈhæpi/	_____
hero	/ˈhɪərəu/	_____
honey	/ˈhʌni/	_____
how	/hau/	_____
hello	/həˈləu/	_____

/b/

big	/bɪg/	_____
baby	/ˈbeɪbi/	_____
bag	/bæg/	_____
brother	/ˈbrʌðə(r)/	_____
bye	/baɪ/	_____

/v/

very	/ˈveri/	_____
van	/væn/	_____
visa	/ˈviːzə/	_____
verb	/vɜ:(r)b/	_____
video	/ˈvɪdiəu/	_____

/w/

want	/wɒnt/	_____
water	/ˈwɔ:tə(r)/	_____
wash	/wɒʃ/	_____
weekend	/ˌwiːkˈend/	_____
whisky	/ˈwɪski/	_____

/ʒ/

television	/ˈtelɪvɪʒn/	_____
vision	/ˈvɪʒn/	_____
confusion	/kənˈfjuːʒn/	_____
division	/dɪˈvɪʒn/	_____
erosion	/ɪˈrəuʒn/	_____

/dʒ/

German	/ˈdʒɜ:(r)mən/	_____
June	/dʒu:n/	_____
gentle	/ˈdʒentl/	_____
judo	/ˈdʒu:dəu/	_____
gem	/dʒem/	_____

/z/

zoo	/zu:/	_____
zero	/ˈzɪərəu/	_____
zodiac	/ˈzəudɪæk/	_____
because	/bɪˈkɒz/	_____
is	/ɪz/	_____

/s/

son	/sʌn/	_____
sister	/ˈsɪstə(r)/	_____
sand	/sænd/	_____
books	/bʊks/	_____
ice	/aɪs/	_____

10 Listening 6

 Listen to the CD and

write the number **1** beside the first word you hear, the number **2** beside the second word you hear, etc. Each word is repeated twice. The answers are on page 97.

A	/h/			/b/
a	_____	/ˈhæpi/	f	/bɪg/
b	_____	/ˈhɪərəu/	g	/ˈbeɪbi/
c	_____	/ˈhʌnɪ/	h	/bæg/
d	_____	/hau/	i	/ˈbrʌðə(r)/
e	_____	/həˈləu/	j	/baɪ/

B	/v/			/w/
a	_____	/ˈveri/	f	/wɒnt/
b	_____	/væn/	g	/ˈwɔ:tə(r)/
c	_____	/ˈvi:sə/	h	/wɒʃ/
d	_____	/vɜ:(r)b/	i	/ˌwi:kˈend/
e	_____	/ˈvɪdiəu/	j	/ˈwɪski/

C	/ʒ/			/dʒ/
a	_____	/ˈtelɪvɪʒn/	f	/ˈdʒɜ:(r)mən/
b	_____	/ˈvɪʒn/	g	/dʒu:n/
c	_____	/kənˈfju:ʒn/	h	/ˈdʒentl/
d	_____	/dɪˈvɪʒn/	i	/ˈdʒu:dəu/
e	_____	/ɪˈrəuʒn/	j	/dʒem/

D	/z/			/s/
a	_____	/zu:/	f	/sʌn/
b	_____	/ˈzɪərəu/	g	/ˈsɪstə(r)/
c	_____	/ˈzəudɪæk/	h	/sænd/
d	_____	/bɪˈkɒz/	i	/buks/
e	_____	/ɪz/	j	/aɪs/

 Exercise 3

🖊 Write the missing phonetic symbols.
The answers are on page 97.

1 **ba**by	/'__eɪ__i/		21 **j**udo	/'__u:dəu/
2 **b**ag	/__æg/		22 **J**une	/__u:n/
3 **b**ecau**s**e	/__ɪ'kɒ__/		23 **s**and	/__ænd/
4 **b**ig	/__ɪg/		24 **si**s**ter	/'__ɪ__tə(r)/
5 **b**ooks	/__uks/		25 **s**on	/__ʌn/
6 **bro**th**er	/'__rʌ__ə(r)/		26 televi**sio**n	/'telɪvɪ__n/
7 **b**ye	/__aɪ/		27 **v**ast	/__æst/
8 confu**sio**n	/kən'fju:__n/		28 **v**ideo	/'__ɪdiəu/
9 divi**sio**n	/dɪ'vɪ__n/		29 **v**erb	/__ɜ:(r)b/
10 ero**sio**n	/ɪ'rəu__n/		30 **v**ery	/'__eri/
11 **g**em	/__em/		31 **v**isa	/'__i:zə/
12 **g**entle	/'__entl/		32 vi**sio**n	/'vɪ__n/
13 **G**erman	/'__ɜ:(r)mən/		33 **w**ash	/__ɒʃ/
14 **h**appy	/'__æpi/		34 **w**ant	/__ɒnt/
15 **h**ello	/__ə'ləu/		35 **w**ater	/'__ɔ:tə(r)/
16 **h**ero	/'__ɪərəu/		36 **w**eekend	/ˌ__i:k'end/
17 **h**oney	/'__ʌni/		37 **w**hisky	/'__ɪski/
18 **h**ow	/__au/		38 **z**ero	/'__ɪərəu/
19 i**c**e	/aɪ__/		39 **z**odiac	/'__əudɪæk/
20 i**s**	/ɪ__/		40 **z**oo	/__u:/

12 Listening 7

Listen to the CD and

practise saying these sounds:

/ʃ/   Your Language

she	/ʃi:/	_____
shampoo	/ʃæm'pu:/	_____
sheep	/ʃi:p/	_____
ship	/ʃɪp/	_____
sheet	/ʃi:t/	_____

/tʃ/   Your Language

child	/tʃaɪld/	_____
church	/tʃɜ:(r)tʃ/	_____
cheque	/tʃek/	_____
chicken	/'tʃɪkɪn/	_____
chin	/tʃɪn/	_____

/k/

cat	/kæt/	_____
car	/kɑ:(r)/	_____
cake	/keɪk/	_____
kind	/kaɪnd/	_____
kitchen	/'kɪtʃɪn/	_____

/j/

yes	/jes/	_____
yesterday	/'jestɜ:(r)deɪ/	_____
yellow	/'jeləʊ/	_____
yet	/jet/	_____
you	/ju:/	_____

13 Listening 8

Listen to the CD and

write the number **1** beside the first word you hear, the number **2**
beside the second word you hear, etc.
Each word is repeated twice.
The answers are on page 97.

/ʃ/

a _____   /ʃiː/
b _____   /ʃæmˈpuː/
c _____   /ʃiːp/
d _____   /ʃɪp/
e _____   /ʃiːt/

/tʃ/

f _____   /tʃaɪld/
g _____   /tʃɜː(r)tʃ/
h _____   /tʃek/
i _____   /ˈtʃɪkɪn/
j _____   /tʃɪn/

/k/

k _____   /kæt/
l _____   /kɑː(r)/
m _____   /keɪk/
n _____   /kaɪnd/
o _____   /ˈkɪtʃɪn/

/j/

p _____   /jes/
q _____   /ˈjestɜː(r)deɪ/
r _____   /ˈjeləu/
s _____   /jet/
t _____   /juː/

14 Exercise 4

Consonants

Write the missing phonetic symbols.
The answers are on page 97.

1	**ca**ke	/__eɪ__/
2	**c**ar	/__ɑː(r)/
3	**c**at	/__æt/
4	**ch**eque	/__ek/
5	**ch**icken	/'__ɪkɪn/
6	**ch**ild	/__aɪld/
7	**ch**in	/__ɪn/
8	**ch**ur**ch**	/__ɜː(r)__/
9	**k**ind	/__aɪnd/
10	**k**itchen	/'__ɪtʃɪn/
11	**sh**ampoo	/__æm'puː/
12	**sh**e	/__iː/
13	**sh**eep	/__iːp/
14	**sh**eet	/__iːt/
15	**sh**ip	/__ɪp/
16	**y**ellow	/'__eləʊ/
17	**y**es	/__es/
18	**y**esterday	/'__estɜː(r)deɪ/
19	**y**et	/__et/
20	**y**ou	/__uː/

Exercise 5

🖋 Read the phonetic symbols and write the words to make sentences.

The *written* answers are on page 97.
The *spoken* answers are on the next page.

Example:
/ðə/ /ɪŋk/ /ɪz/ /red/

_____

Answer:
The ink is red.

_____

1 /ðæt/ /rəʊz/ /ɪz/ /red/

_____

2 /maɪ/ /ˈmʌðə(r)/ /ɪz/ /ˈdʒɜː(r)mən/

_____

3 /ʃiː/ /ɪz/ /maɪ/ /ˈsɪstə(r)/

_____

4 /maɪ/ /ˈfɑːðə(r)/ /ɪz/ /ˈθɜː(r)ti/ /θriː/

_____

5 /ʃiː/ /ɪz/ /ˈveri/ /θɪn/

_____

16 Listening 9

Listen to the CD and

repeat the sentences.

1 /ðæt/ /rəʊz/ /ɪz/ /red/

2 /maɪ/ /ˈmʌðə(r)/ /ɪz/ /ˈdʒɜː(r)mən/

3 /ʃiː/ /ɪz/ /maɪ/ /ˈsɪstə(r)/

4 /maɪ/ /ˈfɑːðə(r)/ /ɪz/ /ˈθɜː(r)ti/ /θriː/

5 /ʃiː/ /ɪz/ /ˈveri/ /θɪn/

17 Listening 10

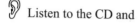 Listen to the CD and

underline the word that sounds different.
Which phonetic symbol is different?
The answers are on page 97.

Play the CD again and repeat the words.

Example: Phonetic Symbol?

cake   cat   <u>ch</u>in   kind   /tʃ/   the rest are /k/

1   **th**is   **th**an   **th**at   **th**anks   _____

2   **th**ree   **th**ere   **th**row   **th**irst   _____

3   si**ng**   wi**ng**   thi**ng**   thi**nk**   _____

4   ice   is   son   sand   _____

5   ship   sheep   see   she   _____

18 Phonetic Crossword 2

🖉 Complete this crossword by writing the words into phonetic symbols.
The answers are on page 98.

Across →

1 water	13 sun
2 van	16 that
3 and	17 in
4 big	20 food
6 cat	22 zoo
7 kitchen	23 leg
10 yesterday	

Down ↓

1 whisky	13 staff
3 at	14 no
5 go	15 gentle
8 church	18 bag
9 pen	19 is
12 on	21 do

19 Listening 11

Listen carefully to the different sounds on the CD and

repeat the words.

Translate the words into your language.
Write a word in your language (if possible) that sounds like the English
sound. There will be some English sounds that are not in your language.
(We have lists of phonetics for some languages. Email us: info@celticpublications.com)

*All the vowels are **voiced**.*

Vowels			Your language	Similar sounds in your language
/iː/	see	/siː/	_____	_____
/ɪ/	his	/hɪz/	_____	_____
/i/	twenty	/ˈtwenti/	_____	_____
/e/ or /ɛ/	ten*	/ten/ or /tɛn/	_____	_____
/æ/	cat	/kæt/	_____	_____
/ɑː/	father	/ˈfɑːðə(r)/	_____	_____
/ɔ/or /ɒ/	hot*	/hɔt/ or /hɒt/	_____	_____
/ɔː/	morning	/ˈmɔː(r)nɪŋ/	_____	_____
/ʊ/	football	/ˈfʊtbɔːl/	_____	_____
/uː/	you	/juː/	_____	_____
/ʌ/	sun	/sʌn/	_____	_____
/ɜː/	learn	/lɜː(r)n/	_____	_____
/ə/	letter	/ˈletə(r)/	_____	_____

Note: * **ten** * **hot**
Oxford Dictionary   = /e/ /ten/ and /ɒ/ /hɒt/
Collins Dictionary = /ɛ/ /tɛn/ and /ɔ/ /hɔt/

20 Exercise 6

Vowels

 Match a word in Column A with the phonetic symbols in Column B.
The answers are on page 98.

Column A		Column B	
1 father	h	a	/ˈfʊtbɔːl/
2 learn		b	/ten/ or /tɛn/
3 morning		c	/sʌn/
4 his		d	/ˈtwenti/
5 football		e	/ˈletə(r)/
6 see		f	/ˈmɔː(r)nɪŋ/
7 twenty		g	/hɔt/ or /hɒt/
8 letter		h	/ˈfɑːðə(r)/
9 hot		i	/juː/
10 sun		j	/lɜː(r)n/
11 cat		k	/siː/
12 you		l	/kæt/
13 ten		m	/hɪz/

21 Phonetic Script 2

Practise writing these phonetic symbols:

/iː/　　_____

/ɪ/　　_____

/i/　　_____

/e/
or /ɛ/　_____

/æ/　　_____

/ɑː/　　_____

/ɔ/
or /ɒ/　_____

/ɔː/　　_____

/ʊ/　　_____

/uː/　　_____

/ʌ/　　_____

/ɜː/　　_____

/ə/　　_____

22 Listening 12

🦻 Listen to the CD and

👅 practise saying these sounds:

/ɪ/   *Your Language*

his	/hɪz/	_____
is	/ɪz/	_____
big	/bɪg/	_____
live	/lɪv/	_____
sister	/ˈsɪstə(r)/	_____

/i/   *Your Language*

twenty	/ˈtwenti/	_____
very	/ˈveri/	_____
happy	/ˈhæpi/	_____
baby	/ˈbeɪbi/	_____
honey	/ˈhʌni/	_____

/æ/   *Your Language*

cat	/kæt/	_____
happy	/ˈhæpi/	_____
sad	/sæd/	_____
bag	/bæg/	_____
van	/væn/	_____

/ɔ/ or /ɒ/   *Your Language*

hot	/hɔt/ or /hɒt/	_____
not	/nɔt/ or /nɒt/	_____
want	/wɔnt/ or /wɒnt/	_____
because	/bɪˈkɔz/ or /bɪˈkɒz/	_____
doctor	/ˈdɔktə(r)/ or /ˈdɒktə(r)/	_____

/e/ or /ɛ/   *Your Language*

ten	/ten/ or /tɛn/	_____
pen	/pen/ or /pɛn/	_____
red	/red/ or /rɛd/	_____
yes	/jes/ or /jɛs/	_____
very	/ˈveri/	_____

/iː/   *Your Language*

see	/siː/	_____
she	/ʃiː/	_____
he	/hiː/	_____
tea	/tiː/	_____
we	/wiː/	_____

/ɑː/   *Your Language*

father	/ˈfɑːðə(r)/	_____
car	/kɑː(r)/	_____
far	/fɑː(r)/	_____
dark	/dɑː(r)k/	_____
hard	/hɑː(r)d/	_____

/ɔː/   *Your Language*

morning	/ˈmɔː(r)nɪŋ/	_____
water	/ˈwɔːtə(r)/	_____
ball	/bɔːl/	_____
call	/kɔːl/	_____
dawn	/dɔːn/	_____

23 Listening 13

Listen to the CD and

write the number **1** beside the first word you hear, the number **2** beside the second word you hear, etc. Each word is repeated twice.
The answers are on page 98.

A   **/ɪ/**   **/e/ or /ɛ/**

a ____ /hɪz/   f ____ /ten/ or /tɛn/
b ____ /ɪz/   g ____ /pen/ or /pɛn/
c ____ /bɪg/   h ____ /red/ or /rɛd/
d ____ /lɪv/   i ____ /jes/ or /jɛs/
e ____ /ˈsɪstə(r)/   j ____ /ˈveri/

B   **/i/**   **/iː/**

a ____ /ˈtwenti/   f ____ /siː/
b ____ /ˈveri/   g ____ /ʃiː/
c ____ /ˈhæpi/   h ____ /hiː/
d ____ /ˈbeɪbi/   i ____ /tiː/
e ____ /ˈhʌni/   j ____ /wiː/

C   **/æ/**   **/ɑː/**

a ____ /kæt/   f ____ /ˈfɑːðə(r)/
b ____ /ˈhæpi/   g ____ /kɑː(r)/
c ____ /sæd/   h ____ /fɑː(r)/
d ____ /bæg/   i ____ /dɑː(r)k/
e ____ /væn/   j ____ /hɑː(r)d/

D   **/ɔ/ or /ɒ/**   **/ɔː/**

a ____ /hɔt/ or /hɒt/   f ____ /ˈmɔː(r)nɪŋ/
b ____ /nɔt/ or /nɒt/   g ____ /ˈwɔːtə(r)/
c ____ /wɔnt/ or /wɒnt/   h ____ /bɔːl/
d ____ /bɪˈkɔz/ or /bɪˈkɒz/   i ____ /kɔːl/
e ____ /ˈdɔktə(r)/ or /ˈdɒktə(r)/   j ____ /dɔːn/

---

24 Exercise 7

 Write the missing phonetic symbols.
The answers are on page 98.

1 ba**by**	/ˈbeɪb__/		19 n**o**t	/n__t/
2 b**ag**	/b__g/		20 p**e**n	/p__n/
3 b**a**ll	/b__l/		21 r**e**d	/r__d/
4 bec**au**se	/bɪˈk__z/		22 s**a**d	/s__d/
5 b**i**g	/b__g/		23 s**ee**	/s__/
6 c**a**ll	/k__l/		24 sh**e**	/ʃ__/
7 c**a**t	/k__t/		25 s**i**ster	/ˈs__stə(r)/
8 d**aw**n	/d__n/		26 t**ea**	/t__/
9 d**o**ctor	/ˈd__ktə(r)/		27 t**e**n	/t__n/
10 f**a**ther	/ˈf__ðə(r)/		28 th**a**nks	/θ__ŋks/
11 h**a**pp**y**	/ˈh__p__/		29 th**a**t	/ð__t/
12 h**e**	/h__/		30 twent**y**	/ˈtwent__/
13 h**i**s	/h__z/		31 v**a**n	/v__n/
14 hon**ey**	/ˈhʌn__/		32 v**e**ry	/ˈv__ri/
15 h**o**t	/h__t/		33 w**a**nt	/w__nt/
16 **i**s	/__z/		34 w**a**ter	/ˈw__tə(r)/
17 l**i**ve	/l__v/		35 w**e**	/w__/
18 m**o**rning	/ˈm__(r)nɪŋ/		36 y**e**s	/j__s/

25 Exercise 8

 Read the phonetic symbols and write the words to make sentences.

The *written* answers are on page 99.
The *spoken* answers are on the next page.

Example:
/ðə/ /sænd/ /ɪz/ /hɒt/

Answer:
The sand is hot.

1 /hɪz/ /pen/ /ɪz/ /red/

2 /ðæt/ /ˈdɒktə(r)/ /ɪz/ /ˈveri/ /sæd/

3 /hiː/ /ɪz/ /maɪ/ /ˈfɑːðə(r)/

4 /ðə/ /ˈwɔːtə(r)/ /ɪz/ /ˈveri/ /hɒt/

5 /maɪ/ /ˈfɑːðə(r)/ /ɪz/ /ə/ /ˈdɒktə(r)/

26 Listening 14

🦻 Listen to the CD and

👄 repeat the sentences.

1 /hɪz/ /pen/ /ɪz/ /red/

2 /ðæt/ /ˈdɒktə(r)/ /ɪz/ /ˈveri/ /sæd/

3 /hi:/ /ɪz/ /maɪ/ /ˈfɑːðə(r)/

4 /ðə/ /ˈwɔːtə(r)/ /ɪz/ /ˈveri/ /hɒt/

5 /maɪ/ /ˈfɑːðə(r)/ /ɪz/ /ə/ /ˈdɒktə(r)/

27 **Exercise 9**

✎ Write these words in phonetic symbols.
The answers are on page 99.

1 bag_____	15 sad_____
2 because_____	16 see_____
3 big _____	17 she_____
4 cat _____	18 tea _____
5 happy_____	19 ten_____
6 he _____	20 thanks_____
7 his _____	21 that_____
8 hot _____	22 twenty_____
9 is _____	23 van _____
10 live_____	24 very_____
11 morning_____	25 want_____
12 not_____	26 we _____
13 pen_____	27 yes_____
14 red_____	

28 Phonetic Crossword 3

 Complete this crossword by writing the words into phonetic symbols. The answers are on page 99.

Across→

1 father
4 live
6 bring
8 and
11 look
12 we
13 no
17 doctor
19 not
20 tea
21 thing
24 car
25 see

Down↓

1 football
2 the
3 red
4 learn
5 van
7 ink
9 dawn
10 twenty
14 morning
15 want
16 hot
18 dark
22 in
23 she

29 Listening 15

 Vowels

 Write these words into your language.

 Listen to the CD and

practise saying these sounds:

/ʊ/   Your Language

football /ˈfʊtbɔ:l/ _____
book   /bʊk/   _____
good   /gʊd/   _____
foot   /fʊt/   _____
cook   /kʊk/   _____

/u:/   Your Language

you   /ju:/   _____
boot /bu:t/ _____
food /fu:d/ _____
school /sku:l/ _____
cool /ku:l/ _____

/ʌ/

sun   /sʌn/   _____
cup   /kʌp/   _____
run   /rʌn/   _____
cut   /kʌt/   _____
fun   /fʌn/   _____

/ɜ:/

learn /lɜ:(r)n/ _____
bird   /bɜ:(r)d/ _____
earth /ɜ:(r)θ/ _____
her   /hɜ:(r)/ _____
birthday /ˈbɜ:(r)θdeɪ/ _____

/ə/

letter   /ˈletə(r)/ _____
mother /ˈmʌðə(r)/ _____
father /ˈfɑ:ðə(r)/ _____
fuel   /ˈfju:əl/ _____
several /ˈsevrəl/ _____

30 Listening 16

 Listen to the CD and

write the number **1** beside the first word you hear, the number **2**
beside the second word you hear, etc.
Each word is repeated twice.
The answers are on page 99.

A   /ʊ/   /uː/

   a ____ /ˈfʊtbɔːl/   f ____ /juː/
   b ____ /bʊk/   g ____ /buːt/
   c ____ /gʊd/   h ____ /fuːd/
   d ____ /fʊt/   i ____ /skuːl/
   e ____ /kʊk/   j ____ /kuːl/

B   /ʌ/   /ɜː/

   a ____ /sʌn/   f ____ /lɜː(r)n/
   b ____ /kʌp/   g ____ /bɜː(r)d/
   c ____ /rʌn/   h ____ /ɜː(r)θ/
   d ____ /kʌt/   i ____ /hɜː(r)/
   e ____ /fʌn/   j ____ /ˈbɜː(r)θdeɪ/

         /ə/

   k ____ /ˈletə(r)/
   l ____ /ˈmʌðə(r)/
   m ____ /ˈfɑːðə(r)/
   n ____ /ˈfjuːəl/
   o ____ /ˈsevrəl/

Exercise 10

🖉 Write the missing phonetic symbols.
The answers are on page 100.

1	b**i**rd	/b___(r)d/	14	fu**e**l	/ˈfjuː___l/
2	b**i**rthday	/ˈb___(r)θdeɪ/	15	f**u**n	/f___n/
3	b**oo**k	/b___k/	16	g**oo**d	/g___d/
4	b**oo**t	/b___t/	17	h**e**r	/h___(r)/
5	c**oo**k	/k___k/	18	l**ea**rn	/l___(r)n/
6	c**oo**l	/k___l/	19	lett**e**r	/ˈlet___(r)/
7	c**u**p	/k___p/	20	moth**e**r	/ˈmʌð___(r)/
8	c**u**t	/k___t/	21	r**u**n	/r___n/
9	**ea**rth	/___(r)θ/	22	sch**oo**l	/sk___l/
10	fath**e**r	/ˈfɑːð___(r)/	23	sever**a**l	/ˈsevr___l/
11	f**oo**d	/f___d/	24	s**u**n	/s___n/
12	f**oo**t	/f___t/	25	y**ou**	/j___/
13	f**oo**tball	/ˈf___tbɔːl/			

32 Exercise 11

🖊 Read the phonetic symbols and write the words to make sentences.

The *written* answers are on page 100.
The *spoken* answers are on the next page.

Example:

/hɜː(r)/ /ˈbɜː(r)θdeɪ/ /ɪz/ /ɪn/ /dʒuːn/

Answer:

Her birthday is in June.

---

1 /maɪ/ /ˈfɑːðə(r)/ /ɪz/ /ə/ /gʊd/ /kʊk/

---

2 /duː/ /juː/ /kʊk/ ?

---

3 /duː/ /juː/ /lɜː(r)n/ /ˈfʊtbɔːl/ /ət/ /skuːl/ ?

---

4 /ðə/ /fuːd/ /ɪz/ /ˈveri/ /gʊd/

---

5 /ʃiː/ /kʌt/ /hɜː(r)/ /fʊt/

---

33 Listening 17

🎧 Listen to the CD and

👄 repeat the sentences.

1 /maɪ/ /ˈfɑːðə(r)/ /ɪz/ /ə/ /gʊd/ /kʊk/

2 /duː/ /juː/ /kʊk/ ?

3 /duː/ /juː/ /lɜː(r)n/ /ˈfʊtbɔːl/ /ət/ /skuːl/ ?

4 /ðə/ /fuːd/ /ɪz/ /ˈveri/ /gʊd/

5 /ʃiː/ /kʌt/ /hɜː(r)/ /fʊt/

Exercise 12

 Write these words in phonetic symbols.
The answers are on page 100.

1 bird _____ /bɜː(r)d/ _____
2 birthday _____
3 book _____
4 boot _____
5 cook _____
6 cut _____
7 earth _____
8 father_____
9 food _____
10 foot _____
11 football _____
12 fuel _____
13 fun _____
14 good_____
15 her _____
16 learn _____
17 letter_____
18 mother_____
19 run _____
20 school _____
21 several _____
22 sun _____
23 thumb _____
24 you _____

35 **Listening 18**

 Listen to the CD and

 underline the word that sounds different.
Which phonetic symbol is different?
The answers are on page 100.

 Play the CD again and repeat the words.

Example:

Phonetic Symbol?

his	is	big	<u>very</u>	/i/ the rest are /ɪ/
1 she	see	twenty	tea	_____
2 ten	live	big	sister	_____
3 very	ten	pen	red	_____
4 pen	tea	he	we	_____
5 car	far	sad	dark	_____
6 cat	car	bag	van	_____
7 hot	not	far	want	_____
8 water	ball	call	sad	_____
9 good	food	foot	book	_____
10 her	father	mother	letter	_____

36 Phonetic Crossword 4

✎ Complete this crossword by writing the words into phonetic symbols.
The answers are on page 101.

Across →

2 baby	18 ten
4 want	19 she
5 see	20 you
6 car	21 dark
7 ink	23 father
8 his	25 these
10 thing	28 cup
11 food	29 and
12 learn	31 sun
15 tea	32 leg
16 sister	33 feet

Down ↓

1 cook	17 visa
2 birthday	21 do
3 bring	22 cool
4 we	23 fuel
5 school	24 he
8 her	25 the
9 zoo	26 fun
11 foot	27 bag
13 no	28 cut
14 thin	30 do
16 several	31 see

37 **Listening 19**

A diphthong is two vowels sounds pronounced as one syllable.

 Listen carefully to the different sounds on the CD and

 repeat the words.

 Translate the words into your language.
Write a word in your language (if possible) that sounds like the English
sound. There will be some English sounds that are not in your language.
(We have lists for some languages. Email us: info@celticpublications.com)

*All the diphthongs are **voiced**.*

Diphthongs (two vowel sounds together)		Your language	Similar sounds in your language
/eɪ/	name	/neɪm/ _____	_____
/əʊ/	go	/gəʊ/ _____	_____
/aɪ/	my	/maɪ/ _____	_____
/aʊ/	how	/haʊ/ _____	_____
/ɔɪ/	boy	/bɔɪ/ _____	_____
/ɪə/	hear	/hɪə(r)/ _____	_____
/eə/	where	/weə(r)/ _____	_____
/ʊə/	tour	/tʊə(r)/ _____	_____

38 Exercise 13

Match a word in Column A with the phonetic symbols in Column B. The answers are on page 101.

Column A		Column B	
1	name ___c___	a	/bɔɪ/
2	go _____	b	/tʊə(r)/
3	my _____	c	/neɪm/
4	how _____	d	/weə(r)/
5	boy _____	e	/gəʊ/
6	hear _____	f	/hɪə(r)/
7	where _____	g	/haʊ/
8	tour _____	h	/maɪ/

39   **Phonetic Script 3**

✎ Practise writing these phonetic symbols:

/eɪ/   _____

/əʊ/   _____

/aɪ/   _____

/aʊ/   _____

/ɔɪ/   _____

/ɪə/   _____

/eə/   _____

/ʊə/   _____

40 Listening 20

Diphthongs

Listen to the CD and

practise saying these sounds:

/eɪ/ Your Language

name	/neɪm/	_____
game	/geɪm/	_____
same	/seɪm/	_____
came	/keɪm/	_____
rain	/reɪn/	_____

/aɪ/ Your Language

my	/maɪ/	_____
by	/baɪ/	_____
sky	/skaɪ/	_____
eye	/aɪ/	_____
tie	/taɪ/	_____

/ɔɪ/ Your Language

boy	/bɔɪ/	_____
toy	/tɔɪ/	_____
joy	/dʒɔɪ/	_____
noise	/nɔɪz/	_____
boil	/bɔɪl/	_____

/eə/ Your Language

where	/weə(r)/	_____
air	/eə(r)/	_____
care	/keə(r)/	_____
hair	/heə(r)/	_____
bear	/beə(r)/	_____

/əʊ/ Your Language

go	/gəʊ/	_____
smoke	/sməʊk/	_____
know	/nəʊ/	_____
toe	/təʊ/	_____
coat	/kəʊt/	_____

/aʊ/ Your Language

how	/haʊ/	_____
cow	/kaʊ/	_____
about	/əˈbaʊt/	_____
down	/daʊn/	_____
noun	/naʊn/	_____

/ɪə/ Your Language

hear	/hɪə(r)/	_____
near	/nɪə(r)/	_____
beard	/bɪə(r)d/	_____
beer	/bɪə(r)/	_____
dear	/dɪə(r)/	_____

/ʊə/ Your Language

tour	/tʊə(r)/	_____
tourist	/ˈtʊərɪst/	_____
pure	/pjʊər/	_____
cure	/kjʊə(r)/	_____
curious	/ˈkjʊərɪəs/	_____

41 **Listening 21**

Listen to the CD and

write the number **1** beside the first word you hear, the number **2** beside the
second word you hear, etc. Each word is repeated twice.
The answers are on page 101.

A /eɪ/			/əʊ/		
a	_____	/neɪm/	k	_____	/gəʊ/
b	_____	/geɪm/	l	_____	/sməʊk/
c	_____	/seɪm/	m	_____	/nəʊ/
d	_____	/keɪm/	n	_____	/təʊ/
e	_____	/reɪn/	o	_____	/kəʊt/
/aɪ/			**/aʊ/**		
f	_____	/maɪ/	p	_____	/haʊ/
g	_____	/baɪ/	q	_____	/kaʊ/
h	_____	/skaɪ/	r	_____	/əˈbaʊt/
i	_____	/aɪ/	s	_____	/daʊn/
j	_____	/taɪ/	t	_____	/naʊn/

B /ɔɪ/			/ɪə/		
a	_____	/bɔɪ/	k	_____	/hɪə(r)/
b	_____	/tɔɪ/	l	_____	/nɪə(r)/
c	_____	/dʒɔɪ/	m	_____	/bɪə(r)d/
d	_____	/nɔɪz/	n	_____	/bɪə(r)/
e	_____	/bɔɪl/	o	_____	/dɪə(r)/
/eə/			**/ʊə/**		
f	_____	/weə(r)/	p	_____	/tʊə(r)/
g	_____	/eə(r)/	q	_____	/ˈtʊərɪst/
h	_____	/keə(r)/	r	_____	/pjʊər/
i	_____	/heə(r)/	s	_____	/kjʊə(r)/
j	_____	/beə(r)/	t	_____	/ˈkjʊəriəs/

42 Exercise 14

✎ Write the missing phonetic symbols.
The answers are on page 101.

1 ab**ou**t	/ə'b__t/		21 h**ow**	/h__/
2 **air**	/__ (r)/		22 j**oy**	/dʒ__/
3 b**ear**	/b__ (r)/		23 kn**ow**	/n__/
4 b**ear**d	/b__ (r)d/		24 m**y**	/m__/
5 b**ee**r	/b__ (r)/		25 n**a**me	/n__m/
6 b**oi**l	/b__l/		26 n**ear**	/n__ (r)/
7 b**oy**	/b__/		27 n**oi**se	/n__z/
8 b**y**	/b__/		28 n**ou**n	/n__n/
9 c**a**me	/k__m/		29 d**ow**n	/d__n/
10 c**a**re	/k__ (r)/		30 p**u**re	/pj__r/
11 c**oa**t	/k__t/		31 r**ai**n	/r__n/
12 c**ow**	/k__/		32 s**a**me	/s__m/
13 c**u**re	/kj__ (r)/		33 sk**y**	/sk__/
14 c**u**rious	/'kj__riəs/		34 sm**o**ke	/sm__k/
15 d**ear**	/d__ (r)/		35 t**ie**	/t__/
16 **eye**	/__/		36 t**oe**	/t__/
17 g**a**me	/g__m/		37 t**ou**r	/t__ (r)/
18 g**o**	/g__/		38 t**ou**rist	/'t__rɪst/
19 h**air**	/h__ (r)/		39 t**oy**	/t__/
20 h**ear**	/h__ (r)/		40 wh**e**re	/w__ (r)/

 **Exercise 15**

 Read the phonetic symbols and write the words to make sentences.
The *written* answers are on page 101.
The *spoken* answers are on the next page.

Example:
/hɪz/ /taɪ/ /ɪz/ /red/

Answer:
His tie is red.

---

1 /ðæt/ /bɔɪ/ /ɪz/ /ˈveri/ /ˈkjʊəriəs/

---

2 /duː/ /juː/ /nəʊ/ /maɪ/ /neɪm/ ?

---

3 /duː/ /juː/ /sməʊk/?

---

4 /weə(r)/ /ɪz/ /maɪ/ /kəʊt/?

---

5 /duː/ /juː/ /hɪə(r)/ /ðæt/ /nɔɪz/?

---

44 Listening 22

Listen to the CD and

repeat the sentences.

1 /ðæt/ /bɔɪ/ /ɪz/ /ˈveri/ /ˈkjuəriəs/

2 /duː/ /juː/ /nəu/ /maɪ/ /neɪm/ ?

3 /duː/ /juː/ /sməuk/?

4 /weə(r)/ /ɪz/ /maɪ/ /kəut/?

5 /duː/ /juː/ /hɪə(r)/ /ðæt/ /nɔɪz/?

45 Exercise 16

 Write these words in phonetic symbols.
The answers are on page 102.

1 about	/əˈbaʊt/	21 how	
2 air		22 joy	
3 bear		23 know	
4 beard		24 my	
5 beer		25 name	
6 boil		26 near	
7 boy		27 noise	
8 by		28 noun	
9 came		29 down	
10 care		30 pure	
11 coat		31 rain	
12 cow		32 same	
13 cure		33 sky	
14 curious		34 smoke	
15 dear		35 tie	
16 eye		36 toe	
17 game		37 tour	
18 go		38 tourist	
19 hair		39 toy	
20 hear		40 where	

46 Listening 23

Listen to the CD and

underline the word that sounds different.
Which phonetic symbol is different?
The answers are on page 102.

Play the CD again and repeat the words.

Example: Phonetic Symbol?

name game same <u>care</u>   /eə/   the rest are /eɪ/

1 how	cow	know	about	_____
2 game	same	rain	hair	_____
3 know	how	coat	toe	_____
4 bear	hear	near	beard	_____
5 my	by	boy	tie	_____
6 where	air	bear	beer	_____
7 noise	toy	boy	by	_____
8 tour	tourist	noun	pure	_____
9 care	hair	air	rain	_____
10 toe	noise	boil	joy	_____

Phonetic Crossword 5

✎ Complete this crossword by writing the words into phonetic symbols.
The answers are on page 102.

Across→

1 sky	16 go
2 hair	17 know
4 came	19 noun
5 ink	21 honey
8 coat	23 toy
10 tourist	25 me
13 boy	27 beard
15 my	28 lie

Down↓

1 smoke	11 rain
3 air	12 same
4 kind	13 bag
5 it	18 how
6 cow	20 name
7 about	22 near
9 joy	24 oil
10 twenty	26 eat

48   Listening 24

Listen carefully to the different sounds on the CD and

repeat the words.

Translate the words into your language.

		Your Language				Your Language
/p/ pen	/pen/	_____	/b/ big	/bɪg/		_____
pen	/pen/	_____	Ben	/ben/	(A boy's name)	
pig	/pɪg/	_____	big	/bɪg/		_____
putt	/pʌt/	_____	but	/bʌt/		_____
pack	/pæk/	_____	back	/bæk/		_____
pear	/peə(r)/	_____	bear	/beə(r)/		_____

Listen to the CD and underline the words you hear.
The answers are on page 102.

Example:

Ben/pen is my brother.

1   That big/pig is very big/pig.

2   That is a very big/pig big/pig.

3   Do you see Ben/pen?

4   Do you see the Ben/pen?

5   Do you see the bear/pear?

6   Do you see the bear/pear?

7   That is his back/pack.

8   That is his back/pack.

49 Listening 25   Revision /t//d/

👂 Listen carefully to the different sounds on the CD and

👄 repeat the words.

✏️ Translate the words into your language.

		Your Language			Your Language
/t/ tea	/tiː/	_____	/d/ do	/duː/	_____
Ted	/ted/	(A boy's name)	dead	/ded/	_____
too	/tuː/	_____	do	/duː/	_____
tent	/tent/	_____	dent	/dent/	_____
tear	/tɪə(r)/	_____	deer	/dɪə(r)/	_____
bet	/bet/	_____	bed	/bed/	_____
cot	/kɒt/	_____	cod	/kɒd/	_____

👂 Listen to the CD and ✏️ underline the words you hear.
The answers are on page 103.

Example:
Is it <u>Ted</u>/dead?

1 You do/too!

2 You do/too?

3 That is a tent/dent.

4 That is not a tent/dent.

5 Is that a deer/tear?

6 Is that a deer/tear?

7 It is a bet/bed.

8 It is not a bet/bed.

9 Is it a cot/cod?

10 Is it a cot/cod?

50 Listening 26

Listen carefully to the different sounds on the CD and

repeat the words.

Translate the words into your language.

			Your Language				Your Language
/k/	cat	/kæt/	_____	/g/	go	/gəʊ/	_____
	coat	/kəʊt/	_____		goat	/gəʊt/	_____
	cap	/kæp/	_____		gap	/gæp/	_____
	curl	/kɜ:(r)l/	_____		girl	/gɜ:(r)l/	_____
	class	/klæs/	_____		glass	/glæs/	_____
	clue	/klu:/	_____		glue	/glu:/	_____
	clock	/klɒk/	_____		clog	/klɒg/	_____

Listen to the CD and underline the words you hear.
The answers are on page 103.

Example:
Is that a coat/<u>goat</u>?

1 It is a curl/girl.

2 It is not a curl/girl.

3 That is a cap/gap.

4 That is not a cap/gap.

5 Do you see the class/glass?

6 Do you see the class/glass?

7 Do you see the clue/glue?

8 Do you see the clue/glue?

9 It is a clock/clog.

10 It is not a clock/clog.

51 Listening 27

Listen carefully to the different sounds on the CD and

repeat the words.

Translate the words into your language.

			Your Language				Your Language
/f/	four	/fɔː(r)/	_____	/v/	very	/'veri/	_____
	ferry	/'feri/	_____		very	/'veri/	_____
	fan	/fæn/	_____		van	/væn/	_____
	fast	/fæst/	_____		vast	/væst/	_____
	half	/hæf/	_____		have	/hæv/	_____
	leaf	/liːf/	_____		leave	/liːv/	_____
	off	/ɒf/	_____		of	/ɒv/	_____

Listen to the CD and underline the words you hear.
The answers are on page 103.

Example:

That <u>ferry</u>/very is ferry/<u>very</u> big.

1 Is that a fan/van?

2 No, it is a fan/van.

3 America is very fast/vast.

4 America is very fast/vast.

5 Do you have/half a car?

6 I have/half have/half a
   beard.

7 Leave/leaf the leave/leaf
   in the book.

8 I have three of/off them.

9 The television is of/off.

10 I want a cup of/off ice.

52 Listening 28

Listen carefully to the different sounds on the CD and

repeat the words.

Translate the words into your language.

/w/	want	/wɒnt/	Your Language	/v/	very	/ˈveri/	Your Language
	wet	/wet/			vet	/vet/	
	while	/waɪl/			vile	/vaɪl/	
	worse	/wɜ:(r)s/			verse	/vɜ:(r)s/	
	whale	/weɪl/			veil	/veɪl/	
	wine	/waɪn/			vine	/vaɪn/	
	went	/went/			vent	/vent/	

Listen to the CD and underline the words you hear.
The answers are on page 103.

Example:

That <u>vet</u>/wet is vet/<u>wet</u>.

1 That is while/vile.

2 I sing while/vile I walk.

3 That verse/worse is sad.

4 That is verse/worse.

5 Is that a whale/veil?

6 Is that a whale/veil?

7 That wine/vine is his.

8 That wine/vine is his.

9 I vent/went to the car.

10 Is that a vent/went?

53 Listening 29

Listen carefully to the different sounds on the CD and

repeat the words.

Translate the words into your language.

		Your Language				Your Language
/s/	son	/sʌn/	_____	/z/	zoo	/zu:/	_____

hiss	/hɪs/	_____	his	/hɪz/	_____
dose	/dəʊs/	_____	doze	/dəʊz/	_____
Miss*	/mɪs/	_____	Ms#	/mɪz/	_____
Sue	/su:/	(A girl's name)	zoo	/zu:/	_____
bus	/bʌs/	_____	buzz	/bʌz/	_____
price	/praɪs/	_____	prize	/praɪz/	_____

* Miss = a woman who is not married.
# Ms = a woman who may or may not be married.
  (Mrs /mɪsɪs/ = a woman who is married.)

Listen to the CD and ✎ underline the words you hear.
The answers are on page 103.

Example:

Is that <u>his</u>/hiss his/<u>hiss</u>?

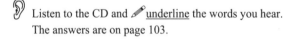

1 Do you have a dose/doze?   6 Is that the Sue/zoo?

2 Do you want a dose/doze?   7 Do you hear the bus/buzz?

3 Is she Miss/Ms Smith?   8 Do you hear the bus/buzz?

4 Is she Miss/Ms Jones?   9 Where is the price/prize?

5 Is that Sue/zoo?   10 Where is the price/prize?

54 Listening 30

Listen carefully to the different sounds on the CD and

repeat the words.

Translate the words into your language.

		Your Language			Your Language
/l/ live	/lɪv/	_____	/r/ red	/red/	_____
lane	/leɪn/	_____	rain	/reɪn/	_____
lead	/liːd/	_____	read	/riːd/	_____
lace	/leɪs/	_____	race	/reɪs/	_____
lake	/leɪk/	_____	rake	/reɪk/	_____
lamp	/læmp/	_____	ramp	/ræmp/	_____
laser	/ˈleɪzə(r)/	_____	razor	/ˈreɪzə(r)/	_____

Listen to the CD and underline the words you hear.
The answers are on page 103.

Example:
Is that lane/<u>rain </u>in the <u>lane</u>/rain?

1 Do you like to lead/read?   6 Is that a lake/rake?

2 Do you like to lead/read?   7 Is that a lamp/ramp?

3 Do you like lace/race?   8 Is it a lamp/ramp?

4 Do you like to lace/race?   9 Is that a laser/razor?

5 Is that a lake/rake?   10 Is that a laser/razor?

55 Listening 31

Listen carefully to the different sounds on the CD and

repeat the words.

Translate the words into your language.

		Your Language				Your Language
/m/my	/maɪ/	_____	/n/no	/nəʊ/	_____
moon	/muːn/	_____	noon	/nuːn/	_____
meat	/miːt/	_____	neat	/niːt/	_____
mum	/mʌm/	_____	nun	/nʌn/	_____
male	/meɪl/	_____	nail	/neɪl/	_____
map	/mæp/	_____	nap	/næp/	_____
mow	/məʊ/	_____	know	/nəʊ/	_____

Listen to the CD and underline the words you hear.
The answers are on page 103.

Example:

Do you see the <u>moon</u>/noon at moon/<u>noon</u>?

1 This is meat/neat.

2 This is meat/neat.

3 She is a mum/nun.

4 She is a mum/nun.

5 This is a male/nail.

6 This is a male/nail.

7 She has a map/nap.

8 She has a map/nap.

9 Do you know/mow it?

10 Do you know/mow it?

56 Listening 32

Listen carefully to the different sounds on the CD and

repeat the words.

Translate the words into your language.

		Your Language				Your Language
/ŋ/ ink	/ɪŋk/	_____	/n/ no	/nəʊ/	_____
ink	/ɪŋk/	_____	in	/ɪn/	_____
thing	/θɪŋ/	_____	thin	/θɪn/	_____
wing	/wɪŋ/	_____	win	/wɪn/	_____
sing	/sɪŋ/	_____	sin	/sɪn/	_____
ping	/pɪŋ/	_____	pin	/pɪn/	_____
tongue	/tʌŋ/	_____	ton	/tʌn/	_____

Listen to the CD and underline the words you hear.
The answers are on page 104.

Example:

The <u>ink</u>/in is ink/<u>in</u> the pen.

1 This thing/thin is very thing/thin.

2 Is that a wing/win?

3 Is that a wing/win?

4 Do you sing/sin?

5 Do you sing/sin?

6 Is that a ping/pin?

7 Is that a ping/pin?

8 Is that a tongue/ton?

9 Is that a tongue/ton?

57 Listening 33

Listen carefully to the different sounds on the CD and

repeat the words.

Translate the words into your language.

		Your Language			Your Language
/θ/ **th**anks	/θæŋks/	_____	(Confusion with /t/ and /s/)		
thanks	/θæŋks/	_____	tanks	/tæŋks/	_____
three	/θriː/	_____	tree	/triː/	_____
tee**th**	/tiːθ/	_____	teat	/tiːt/	_____
think	/θɪŋk/	_____	sink	/sɪŋk/	_____
thing	/θɪŋ/	_____	sing	/sɪŋ/	_____
thin	/θɪn/	_____	sin	/sɪn/	_____
mou**th**	/mauθ/	_____	mouse	/maus/	_____

		Your Language			Your Language
/ð/ **th**e	/ðə/	_____	(Confusion with /d/)		
they	/ðeɪ/	_____	day	/deɪ/	_____
those	/ðəuz/	_____	doze	/dəuz/	_____
there	/ðeə(r)/	_____	dare	/deə(r)/	_____

Listen to the CD and underline the words you hear.
The answers are on page 104.

Example:

Thanks/tanks for the thanks/<u>tanks</u>.

1 She is three/tree.
2 The baby has teeth/teat.
3 What do you think/sink?
4 Do you thing/sing?
5 It is very thin/sin.

6 Is it a mouse/mouth?
7 They/day are here.
8 I like to those/doze.
9 It is there/dare.

58 Listening 34

Listen carefully to the different sounds on the CD and

repeat the words.

Translate the words into your language.

	Your Language			Your Language
/ʃ/ she /ʃiː/	_____	/ʒ/ television /ˈtelɪvɪʒn/	_____
mesh /meʃ/	_____	measure /ˈmeʒə(r)/	_____
cash /kæʃ/	_____	casual /ˈkæʒuəl/	_____
ash /æʃ/	_____	Asia /ˈeɪʒæ/	_____
sure /ʃʊə(r)/	_____	pleasure /ˈpleʒə(r)/	_____
mission /ˈmɪʃn/	_____	confusion /kənˈfjuːʒn/	_____
wish /wɪʃ/	_____	vision /ˈvɪʒn/	_____

Listen to the CD and tick (✓) the box of the sound that you hear.
The answers are on page 104.

	/ʃ/	/ʒ/
1	✓	
2		
3		
4		
5		
6		
7		

	/ʃ/	/ʒ/
8		
9		
10		
11		
12		
13		
14		

59   Listening 35   Revision /tʃ//dʒ/

Listen carefully to the different sounds on the CD and

repeat the words.

Translate the words into your language.

		Your Language			Your Language
/tʃ/	child	/tʃaɪld/ _____	/dʒ/	German	/ˈdʒɜ:(r)mən/ _____
	choose /tʃu:z/ _____		June	/dʒu:n/ _____
	cherry /ˈtʃeri/ _____		Gerry	/ˈdʒeri/ (a boy's name)
	cheer /tʃɪə(r)/ _____		jeer	/dʒɪə(r)/_____
	chest /tʃest/ _____		jest	/dʒest/ _____
	chin /tʃɪn/ _____		gin	/dʒɪn/ _____
	choke /tʃəʊk/ _____		joke	/dʒəʊk/_____

Listen to the CD and tick (✓) the box of the sound that you hear.
The answers are on page 104.

	/tʃ/	/dʒ/
1		✓
2		
3		
4		
5		
6		
7		

	/tʃ/	/dʒ/
8		
9		
10		
11		
12		
13		
14		

60 Listening 36

🦻 Listen carefully to the different sounds on the CD and

👄 repeat the words.

✏ Translate the words into your language.

		Your Language			Your Language
/dʒ/ German	/ˈdʒɜ:(r)mən/ _____		/j/ yes	/jes/	_____

joke	/dʒəʊk/	_____	yoke	/jəʊk/	_____
jeer	/dʒɪə(r)/	_____	year	/jɪə(r)/	_____
jet	/dʒet/	_____	yet	/jet/	_____
gel	/dʒel/	_____	yell	/jel/	_____
jot	/dʒɒt/	_____	yacht	/jɒt/	_____
Jew	/dʒu:/	_____	you	/ju:/	_____
jewel	/ˈdʒu:əl/	_____	you'll	/ju:l/	_____

🦻 Listen to the CD and ✏ tick (✓) the box of the sound that you hear.
The answers are on page 104.

	/dʒ/	/j/
1	✓	
2		
3		
4		
5		
6		
7		
8		

	/dʒ/	/j/
9		
10		
11		
12		
13		
14		
15		
16		

61 Listening 37   Revision /h/+ vowels/dip.

 Listen carefully to the different sounds on the CD and

 repeat the words.

Translate the words into your language.

		Your Language			Your Language
hat	/hæt/	_____	at	/æt/	_____
hand	/hænd/	_____	and	/ænd/	_____
hungry	/ˈhʌŋgri/	_____	angry	/ˈæŋgri/	_____
his	/hɪz/	_____	is	/ɪz/	_____
hear	/hɪə(r)/	_____	ear	/ɪə(r)/	_____
hen	/hen/	_____	end	/end/	_____
hold	/həʊld/	_____	old	/əʊld/	_____

Listen to the CD and tick (✓) the box of the sound that you hear.
The answers are on page 104.

	/h/	vowel/dip
1	✓	
2		
3		
4		
5		
6		
7		

	/h/	vowel/dip
8		
9		
10		
11		
12		
13		
14		

62 Listening 38

Listen carefully to the different sounds on the CD and

repeat the words.

/iː/	see	/siː/
/ɪ/	his	/hɪz/
/i/	twenty	/ˈtwenti/

Listen to these words and ✎ write them in the correct columns in the table below.

The answers are on page 104.

baby	honey	sister
big	is	tea
happy	live	very
he	she	we

/iː/	/ɪ/	/i/
see	his	twenty

63 Listening 39

 Listen carefully to the different sounds on the CD and

 repeat the words.

/e/ or /ɛ/ **ten**   /ten/ or /tɛn/
/ɜ:/   **learn**   /lɜ:(r)n/

 Listen to these words and ✐write them in the correct columns in the
table below.
The answers are on page 104.

bird   her   very
birthday   pen   yes
earth   red

/e/ or /ɛ/	/ɜ:/
ten	learn

64 Listening 40

Listen carefully to the different sounds on the CD and

repeat the words.

/æ/	cat	/kæt/
/ɑ:/	father	/ˈfɑːðə(r)/
/ə/	letter	/ˈletə(r)/

Listen to these words and ✎ write them in the correct columns in the table below.
The answers are on page 105.

bag	father	mother
car	fuel	sad
dark	happy	several
far	hard	van

/æ/	/ɑ:/	/ə/
cat	father	letter

65 Listening 41

 Listen carefully to the different sounds on the CD and

 repeat the words.

| /ɔ/or /ɒ/ | hot | /hɔt/ or /hɒt/ |
| /ɔ:/ | morning | /ˈmɔ:(r)nɪŋ/ |

 Listen to these words and ✎ write them in the correct columns in the table below.
The answers are on page 105.

ball	doctor
because	not
call	want
dawn	water

/ɔ/or /ɒ/	/ɔ:/
hot	morning

66 Listening 42

Listen carefully to the different sounds on the CD and

repeat the words.

/ʊ/	football	/ˈfʊtbɔ:l/
/u:/	you	/juː/
/ʌ/	sun	/sʌn/

Listen to these words and ✏ write them in the correct columns in the table below.
The answers are on page 105.

book	cup	fun
boot	cut	good
cook	food	run
cool	foot	school

/ʊ/	/u:/	/ʌ/
football	you	sun

67 Listening 43

Listen carefully to the different sounds on the CD and

repeat the words.

/eɪ/	name	/neɪm/
/aɪ/	my	/maɪ/
/ɔɪ/	boy	/bɔɪ/

Listen to these words and ✎ write them in the correct columns in the table below.
The answers are on page 105.

boil	game	same
by	joy	sky
came	noise	tie
eye	rain	toy

/eɪ/	/aɪ/	/ɔɪ/
name	my	boy

68 Listening 44

Listen carefully to the different sounds on the CD and

repeat the words.

/aʊ/	how	/haʊ/
/əʊ/	go	/gəʊ/
/ɪə/	hear	/hɪə(r)/

Listen to these words and ✎ write them in the correct columns in the table below.
The answers are on page 105.

about	cow	near
beard	dear	noun
beer	down	smoke
coat	know	toe

/aʊ/	/əʊ/	/ɪə/
how	go	hear

69 Listening 45

🎧 Listen carefully to the different sounds on the CD and

👄 repeat the words.

/eə/   where   /weə(r)/
/ʊə/   tour   /tʊə(r)/

🎧 Listen to these words and ✏ write them in the correct columns in the
table below.
The answers are on page 105.

air   curious
bear   hair
care   pure
cure   tourist

/eə/	/ʊə/
where	tour

Phonetic Crossword 6

 Complete this crossword by writing the words into phonetic symbols.
The answers are on page 105.

The answers are on page 105.

Across→

1 joke	17 book
3 sand	18 erosion
5 ask	21 sun
6 teat	22 no
8 and	25 look
10 old	27 toe
12 too	28 sing
14 in	29 weekend
15 visa	

Down↓

1 jet	16 zoo
2 cat	17 bus
3 school	19 nose
4 dent	20 judo
7 eat	23 oil
9 do	24 thin
11 division	26 cook
13 chicken	27 ton

71 Listening 46

Alphabet

Letters that always sound the same (single letters)

b* d f k* l* m n* p r t* v y z j h* w*

(* = The letters b, k, l, n, t, h, and w are sometimes silent – see pages 81 – 84)

Listen to the CD and repeat the words.

Write the phonetic symbols (and the stress marks). The answers are on page 106.

b /b/

baby _____
bag _____
ball _____

d /d/

dark _____
do _____
down _____

f# /f/

far _____
fast _____
father _____
(# See page 77 this is sometimes a /v/ sound.)

k /k/

kind _____
kitchen _____

l /l/

leg _____
letter _____
live _____

m /m/

morning _____
mother _____
my _____

n /n/

no _____
not _____
nothing _____

p /p/

pen _____
pig _____
pack _____

r /r/

red _____

t /t/

tea _____
teeth _____
ten _____

v /v/

vast _____
verb _____
very _____

y# /j/

yes _____
yet _____
you _____
(# at the beginning of a word. See page 77 - sometimes an /i/ at the end of a word or an /aɪ/ in the middle of a word.)

z /z/

zero _____
zodiac _____
zoo _____

Also:

j /dʒ/

June /dʒuːn/

h /h/

happy /ˈhæpi/

w /w/

want /ˈwɒnt/

72 Listening 47

Letters that always sound the same (same double letters)

cc ee ff gg ll mm nn pp rr ss tt

Note: Same double letters always have <u>one</u> phonetic sound.

 Listen to the CD and 👄 repeat the words.

✏ Write the words in the spaces provided.
Translate the words into your language.
The answers are on page 106.

		Your Language			Your Language
cc	/k/		**nn**	/n/	
<u>occasion</u>	/əˈkeɪʒn/	_____	_____	/ˈmænə(r)/	_____
_____	/ˌɒkjuˈpeɪʃn/	_____	_____	/ˈtʌnl/	_____
_____	/təˈbækəu/	_____	_____	/ˈfʌni/	_____
ee	/iː/		**pp**	/p/	
_____	/əˈgriː/	_____	_____	/ˈnæpi/	_____
_____	/fiː/	_____	_____	/ˈhæpi/	_____
_____	/triː/	_____	_____	/ˈɒpəzɪt/	_____
ff	/f/		**rr**	/r/	
_____	/stæf/	_____	_____	/ˈmɪrə(r)/	_____
_____	/əˈfɔː(r)d/	_____	_____	/təˈmɒrəu/	_____
_____	/əˈfeə(r)/	_____	_____	/ˈbɒrəu/	_____
gg	/g/		**ss**	/s/	
_____	/eg/	_____	_____	/pæs/	_____
_____	/ˈfɒgi/	_____	_____	/græs/	_____
_____	/ˈgrɒgi/	_____	_____	/kɪs/	_____
ll	/l/		**tt**	/t/	
_____	/ɔːl/	_____	_____	/ˈkɪtn/	_____
_____	/bɔːl/	_____	_____	/ˈmɪtn/	_____
_____	/fɔːl/	_____	_____	/ˈprɪti/	_____
mm	/m/				
_____	/ˈmʌmi/	_____			
_____	/ˈmæml/	_____			

73 Listening 48

Letters that always sound the same (different double letters)

ck   ph   sh   ng

Listen to the CD and ☞ repeat the words.

✎ Write the words in the spaces provided.
Translate the words into your language.
The answers are on page 107.

ck = /k/   Your Language

_____ /pæk/_____

_____ /bæk/_____

_____ /smæk/_____

ph = /f/

_____ /ˈfəʊtəʊ/_____

_____ /fəʊn/_____

_____ /fəʊˈnetɪks/_____

sh = /ʃ/   Your Language

_____ /ʃiː/ _____

_____ /ʃuː/ _____

_____ /fɪʃ/ _____

ng = /ŋ/

_____ /sɪŋ/_____

_____ /sɒŋ/_____

_____ /sʌŋ/_____

Listening 49

Letters that always sound the same
- common prefixes (word beginnings)

👂 Listen to the CD and 👄 repeat the words.

🖊 Write the words in the spaces provided.
Translate the words into your language.
The answers are on page 107.

de = /dɪ/   Your Language

_____ /dɪˈzaɪn/   _____
_____ /dɪˈpɑː(r)t/   _____
_____ /dɪˈskraɪb/   _____

dis* = /dɪs/

_____ /ˌdɪsəˈgriː/   _____
_____ /ˌdɪsəˈpɪə(r)/   _____
_____ /ˌdɪsəˈpɔɪnt/   _____

fore =/fɔː(r)/

_____ /ˈfɔː(r)kɑːst/   _____
_____ /ˈfɔː(r)graʊnd/   _____
_____ /ˈfɔː(r)hed/   _____

inter = /ɪntə(r)/

_____ /ˈɪntə(r)vjuː/   _____
_____ /ˌɪntə(r)ˈnæʃnəl/   _____
_____ /ˌɪntəˈrʌpt/   _____

mal = /mæl/   Your Language

_____ /ˌmælˈfʌŋkʃən/   _____
_____ /ˌmælˈnʌrɪʃt/   _____
_____ /ˌmælˈpræktɪs/   _____

non = /nɒn/

_____ /ˈnɒnˈfɪkʃən/   _____
_____ /ˈnɒnˈsməʊkɪŋ/   _____
_____ /ˈnɒnˈstɒp/   _____

un = /ʌn/

_____ /ʌnˈlʌki/   _____
_____ /ˌʌnˈpæk/   _____
_____ /ˌʌnsəkˈsesfəl/   _____

***Note:** For a word such as *dishonest* where
the letters *dis* are a prefix, the pronunciation
remains /dɪs/.
Do not confuse with the letter combination
sh: /ʃ/

dis /dɪs/ + honest /ˈɒnɪst/ (note the *h* is
silent in the word *honest*):
di**sh**onest = /dɪsˈɒnɪst/

75 Listening 50

Letters that always sound the same
- common suffixes (word endings)

🎧 Listen to the CD and 👄 repeat the words.

✎ Write the words in the spaces provided.
   Translate the words into your language.
   The answers are on page 107.

able = /əbl/   Your Language   **ise** = /aɪz/*   Your Language

_____ /'keɪpəbl/ _____   _____ /'krɪtɪsaɪz/ _____

_____ /'mænɪdʒəbl/_____   _____ /'aɪdəˌlaɪz/ _____

_____ /'prɒfɪtəbl/_____   _____ /'sɪmpəθaɪz/_____

er = /ə(r)/   **ive** = /ɪv/

_____ /'kəʊldə(r)/_____   _____ /'æktɪv/   _____

_____ /'hɒtə(r)/ _____   _____ /kri'eɪtɪv/   _____

_____ /'wɔ:(r)mə(r)/_____   _____ /sə'pɔ:(r)tɪv/_____

est = /est/   **ly** = /li/

_____ /'kəʊldest/ _____   _____ /'hæpɪli/   _____

_____ /'hɒtest/ _____   _____ /'sædli/   _____

_____ /'wɔ:(r)mest/_____   _____ /'wɔ:(r)mli/ _____

* also **ize** (American English) The pronunciation for ise and ize is always /aɪz/

76 Listening 51

Letters that always sound the same
- common word endings

🎧 Listen to the CD and 👄 repeat the words.

✏️ Write the words in the spaces provided.
Translate the words into your language.
The answers are on page 108.

tion = /ʃn/   Your language

_____ /ɪkˈsepʃn/_____

_____ /ˈmenʃn/ _____

_____ /ˈɒpʃn/ _____

sion = /ʒn/

_____ /kənˈfjuːʒn/_____

_____ /ɪˈrəʊʒn/ _____

_____ /ˈtelɪvɪʒn/_____

t/cious = /ʃəs/

_____ /ˈkɔːʃəs/ _____

_____ /məˈlɪʃəs/_____

_____ /ˈvɪʃəs/ _____

tant = /ənt/   Your Language

_____ /ɪmˈpɔː(r)tənt/_____

_____ /ɪksˈpektənt/_____

_____ /ˈmjuːtənt/ _____

ment = /mənt/

_____ /kənˈtentmənt/_____

_____ /ɪnˈdʒɔɪmənt/_____

_____ /fʊlˈfɪlmənt/ _____

cian = /ʃən/

_____ /ɒpˈtɪʃən/ _____

_____ /ˌpɒlɪˈtɪʃən/ _____

_____ /ˈgriːʃən/ _____

77 Listening 52

Alphabet

Letters that change sound - single letters

🎵 Listen to the CD and 👄 repeat the words.

✏️ Write the words in the spaces provided. Translate the words into your language.
The answers are on page 108.

c = /k/   Your Language   **s = /s/**   Your Language
_____ /keɪk/   _____   _____ /sel/   _____
_____ /kɔː(r)t/   _____   _____ /weɪst/   _____
_____ /kʌt/   _____   _____ /bʊks/   _____

c = /s/   **s = /z/**
_____ /ˈsiːlɪŋ/   _____   _____ /ˈiːzi/   _____
_____ /feɪs/   _____   _____ /hæz/   _____
_____ /ˈresɪpi/   _____   _____ /dʒiːnz/   _____

f = /f/   **u = /ʌ/**
_____ /feɪs/   _____   _____ /ˈʌgli/   _____
_____ /ɒf/   _____   _____ /ʌnˈeɪbl/   _____
_____ /hæf tuː/   _____   _____ /ʌpˈset/   _____

f = /v/   **u = /juː/**
_____ /ɒv/   _____   _____ /ˈjuːsfʊl/ _____

g = /g/   _____ /ˈjuːʒʊəl/ _____
_____ /ˈfɪŋgə(r)/ _____   _____ /juːˈtəʊpɪə/ _____
_____ /get/   _____
_____ /gɪv/   _____   **Also:**

g = /dʒ/   a = /æ/ cat /kæt/   a = /ɔː/ all /ɔːl/
_____ /ˈdʒɪndʒə(r)/_____   a = /ə/ about /əˈbaʊt/ a = /eɪ/ ate /eɪt/
_____ /ˈdʒestʃə(r)/ _____   a = /ɒ/ want /wɒnt/
_____ /ˈdʒaɪənt/ _____   a = /eə/ fare /feə(r)/

o = /əʊ/   a = /ɑː/ father /ˈfɑːðə(r)/
_____ /əʊˈeɪsɪs/ _____
_____ /əʊθ/   _____   e = /e/ ten /ten/   e = /ɪ/ ended /endɪd/

o = /ə/   e = /iː/ he /hiː/   e = /ɜː/ her /hɜː(r)/
_____ /əˈkeɪʒən/ _____   e = /ə/ father /ˈfɑːðə(r)/
_____ /əbˈteɪn/   _____
_____ /əˈfens/   _____   i = /ɪ/ his /hɪz/   i = /aɪ/ child /tʃaɪld/

o = /ɒ/   y = /j/ yes /jes/   y = /aɪ/ my /maɪ/
_____ /ˈɒkjuːpaɪ/ _____   y = /i/ twenty /twenti/
_____ /ɒf/   _____
_____ /ˈɒfɪs/   _____   (c and e are sometimes silent. See pages 81- 84)

78 Listening 53

Letters that change sound - double letters

🎧 Listen to the CD and 👄 repeat the words.

✎ Write the words in the spaces provided. Translate the words into your language.
The answers are on page 109.

ch = /k/   Your Language   **ea = /iː/**   Your Language

_____ /ˈekəʊ/ _____   _____ /ˈiːzi/ _____

_____ /skuːl/ _____   _____ /tiː/ _____

ch = /ʃ/   **ea = /eə/**

_____ /ʃɪˈkɒgəʊ/ _____   _____ /peə(r)/ _____

_____ /ʃiːk/ _____   _____ /teə(r)/ _____

ch = /tʃ/   **ea = /ɪə/**

_____ /ˈkɪtʃɪn/ _____   _____ /klɪə(r)/ _____

_____ /ˈtʃɪkɪn/ _____   _____ /tɪə(r)/ _____

gh = /f/   **ea = /eɪ/**

_____ /kɒf/ _____   _____ /steɪk/ _____

_____ /ɪˈnʌf/ _____   _____ /greɪt/ _____

gh = /g/   **oo = /uː/**

_____ /gəʊst/ _____   _____ /muːd/ _____

_____ /spəˈgeti/ _____   _____ /nuːn/ _____

th = /θ/   **oo = /ʊ/**

_____ /θɪŋ/ _____   _____ /bʊk/ _____

_____ /θriː/ _____   _____ /lʊk/ _____

th = /ð/   **qu* = /kw/**

_____ /ðɪs/ _____   _____ /ˈkwaɪət/ _____

_____ /ðæt/ _____   _____ /kwaɪt/ _____

ou* = /aʊ/   **qu* = /k/**

_____ /klaʊd/ _____   _____ /mɒsk/ _____

_____ /naʊn/ _____   _____ /kjuː/ _____

ou = /ɔː/   **re = /rɪ/**

_____ /bɔːt/ _____   _____ /rɪˈmuːv/ _____

_____ /fɔːt/ _____   _____ /rɪˈpiːt/ _____

ea = /e/   **re = /ri/**

_____ /hed/ _____   _____ /riˈnjuː/ _____

_____ /ˈfeðə(r)/ _____   _____ /riˈpeɪ/ _____

*In English the letter q is always followed by the letter u.

79 Listening 54

Letters that change sound - *ed* past simple

In English the past simple is formed by adding *ed* to the base form of regular verbs.
Example, to listen (infinitive) **listen** (base) **listen***ed* (past simple).
The letters *ed* have three different sounds: /d/ /t/ /ɪd/
The different sounds depend on the sound that comes before, see the table below.
NOTE - The letters *ed* are **NEVER** pronounced /**ed**/ as in the word r*ed* /r**ed**/!

 Listen to the CD and repeat the words.

 Translate the words into your language.

/d/		/t/		/ɪd/	
voiced ending verbs		*un*voiced ending verbs: /k/ /p/ /s/ /ʃ/ /tʃ/		verbs ending with /t/ or /d/	
Your Language	**PAST SIMPLE**	Your Language	**PAST SIMPLE**	Your Language	**PAST SIMPLE**
	fi*ll*ed /fɪ**l**d/		li*k*ed /laɪ**k**t/		pos*t*ed /ˈpəʊs**t**ɪd/
	pho*n*ed /fəʊ**n**d/		loo*k*ed /lʊ**k**t/		visi*t*ed /ˈvɪzɪ**t**ɪd/
	si*gn*ed /saɪ**n**d/		ty*p*ed /taɪ**p**t/		wai*t*ed /ˈweɪ**t**ɪd/
	rep*air*ed /rɪˈpe**ə(r)**d/		sto*pp*ed /stɒ**p**t/		a*dd*ed /ˈæ**d**ɪd/
	clo*s*ed /kləʊ**z**d/		discu*ss*ed /dɪˈskʌ**s**t/		inclu*d*ed /ɪnˈkluː**d**ɪd/
	recei*v*ed /rɪˈsiː**v**d/		mi*x*ed /mɪ**ks**t/		en*d*ed /ˈen**d**ɪd/
	enj*oy*ed /ɪnˈdʒ**ɔɪ**d/		fini*sh*ed /ˈfɪnɪ**ʃ**t/		deci*d*ed /dɪˈsaɪ**d**ɪd/
	st*ay*ed /st**eɪ**d/		tou*ch*ed /tʌ**tʃ**t/		lan*d*ed /ˈlæn**d**ɪd/

80 Listening 55

Odd One Out

🦻 Listen to the CD and

✏️ underline the word that sounds different.
Which phonetic symbol is different?
The answers are on page 109.

👄 Play the CD again and repeat the words.

Example:				Phonetic Symbol?
fill**ed** phon**ed** sign**ed** <u>end**ed**</u>				/ɪd/ the rest are /d/

1	lik**ed**	look**ed**	add**ed**	typ**ed**	_____
2	sell	his	waist	book**s**	_____
3	face	**c**ake	**c**ourt	**c**ut	_____
4	plea**s**ure	mea**s**ure	**s**ure	ca**s**ual	_____
5	**u**seful	**u**sual	**u**topia	**u**gly	_____
6	bu**s**	pri**c**e	do**s**e	i**s**	_____
7	stopp**ed**	clos**ed**	miss**ed**	touch**ed**	_____
8	van	sad	far	happy	_____
9	**ea**sy	**ea**t	t**ea**	p**ea**r	_____
10	finish**ed**	land**ed**	visit**ed**	post**ed**	_____

81 Listening 56    Silent Letters- single

There are many words in English with **silent** letters. The *only* way to
know this is by checking the phonetic symbols in a good dictionary.
Below are some words that have silent letters.

Note: The final e in English is mostly silent. (An exception = the /ðə/)

🎧 Listen to the CD and 👄 repeat the words.

✏️ Write the words into phonetic symbols in the spaces provided.
   Translate the words into your language.
   The answers are on page 110.

b	Phonetics	Your Language
comb	_____	_____
dumb	_____	_____
lamb	_____	_____

c		
muscle	_____	_____

e		
axe	_____	_____
bike	_____	_____
bite	_____	_____
blouse	_____	_____
brake	_____	_____

h		
heir	_____	_____
hour	_____	_____

k		
knee	_____	_____
knife	_____	_____
know	_____	_____

l	Phonetics	Your Language
almond	_____	_____
calf	_____	_____
calm	_____	_____

n		
autumn	_____	_____

s		
isle	_____	_____
island	_____	_____

t		
batch	_____	_____
bristle	_____	_____
butcher	_____	_____
castle	_____	_____
catch	_____	_____

w		
two	_____	_____

82 Listening 57

Listen to the CD and repeat the words.

Write the words into phonetic symbols in the spaces provided.
Translate the words into your language.
The answers are on page 110.

ch	Phonetics	Your Language		**wh**	Phonetics	Your Language
yacht	_____	_____		whale	_____	_____
				what	_____	_____
gh				wheat	_____	_____
might	_____	_____		whisper	_____	_____
sight	_____	_____		white	_____	_____
thigh	_____	_____		why	_____	_____
through	_____	_____		**wh**		
thought	_____	_____		who	_____	_____
though	_____	_____		whole	_____	_____
thorough	_____	_____				
tight	_____	_____				
weigh	_____	_____				

83 Listening 58   Silent Letters - mixed

🔊 Listen to the CD and 👄 repeat the words.

✏️ Underline the silent letter(s) of each word.
Translate the words into your language.
The answers are on page 110.

	Your Language		Your Language		Your Language
ate	_____	knuckle	_____	vegetable	_____
blue	_____	listen	_____	walk	_____
bomb	_____	mighty	_____	walkman	_____
calves	_____	numb	_____	weight	_____
chalk	_____	plumb	_____	wheel	_____
crumb	_____	plumber	_____	when	_____
honest	_____	rustle	_____	where	_____
honour	_____	salmon	_____	which	_____
kneel	_____	talk	_____	while	_____
knit	_____	thistle	_____	whisky	_____
knob	_____	thoughtful	_____	whistle	_____
knock	_____	thumb	_____	whose	_____
knot	_____	tighten	_____	wrestle	_____

84 Summary

b

bomb	/bɒm/
comb	/kəum/
crumb	/krʌm/
dumb	/dʌm/
lamb	/læm/
numb	/nʌm/
plumb	/plʌm/
plumber	/'plʌmə(r)/
thumb	/θʌm/

c

muscle	/'mʌsl/

ch

yacht	/jɒt/

e

ate	/eɪt/
axe	/æks/
bike	/baɪk/
bite	/baɪt/
blouse	/blauz/
blue	/blu:/
brake	/breɪk/
vegetable	/'vedʒtəbl/

gh

might	/maɪt/
mighty	/'maɪti/
sight	/saɪt/
thigh	/θaɪ/
thorough	/'θʌrə/
though	/ðəu/
thought	/θɔ:t/
thoughtful	/θɔ:tfəl/
through	/θru:/
tight	/taɪt/
tighten	/'taɪtn/
weigh	/weɪ/
weight	/weɪt/

h

heir	/eə(r)/
honest	/'ɒnɪst/
honour	/'ɒnə(r)/
hour	/auə(r)/

k

knee	/ni:/
kneel	/ni:l/
knife	/naɪf/
knit	/nɪt/
knob	/nɒb/
knock	/nɒk/
knot	/nɒt/
know	/nəu/
knowledge	/'nɒlɪdʒ/
knuckle	/'nʌkl/

l

almond	/'ɑ:mənd/
calf	/kæf/
calm	/kɑ:m/
calves	/kævz/
chalk	/tʃɔ:k/
salmon	/'sæmən/
talk	/tɔ:k/
walk	/wɔ:k/
walkman	/'wɔ:kmən/

n

autumn	/'ɔ:təm/

s

isle	/aɪl/
island	/'aɪlənd/

t

batch	/bætʃ/
bristle	/'brɪsl/
butcher	/'butʃə(r)/
castle	/'kæsl/
catch	/kætʃ/
listen	/'lɪsn/
rustle	/'rʌsl/
thistle	/'θɪsl/
whistle	/'wɪsl/
wrestle	/'resl/

w

two	/tu:/

wh

whale	/weɪl/
what	/wɒt/
wheat	/wi:t/
wheel	/wi:l/
when	/wen/
where	/weə(r)/
which	/wɪtʃ/
while	/waɪl/
whisper	/'wɪspə(r)/
white	/waɪt/
why	/waɪ/

wh

who	/hu:/
whole	/həul/
whose	/hu:z/

 **Listening 59**

British English pronounces the letter *r* only when it comes before a vowel (except when the vowel is the last letter of the word).

American and Irish English *always* pronounce the letter *r*.

 Listen to these words on the CD:

Words	British English	American English
afford	/əˈfɔːd/	/əˈfɔːrd/
doctor	/ˈdɒktə/	/ˈdɒktər/
German	/ˈdʒɜːmən/	/ˈdʒɜːrmən/
learn	/lɜːn/	/lɜːrn/
there	/ðeə/	/ðeər/

Listen to these words on the CD. Are they British English or American English? (Tick the box.)
The answers are on page 111.

	British English	American English
1 air		✓
2 beard		
3 butcher		
4 cheer		
5 depart		
6 doctor		
7 earth		
8 forehead		
9 important		
10 pleasure		

86 Listening 60

Odd One Out

Listen to the CD and

underline the word that sounds different.
(Look at the letters of the words. Which **is**/*are not* pronounced?)
Which phonetic symbol is different?
The answers are on page 111.

Play the CD again and repeat the words.

Example:				Phonetic Symbol?
sa*l*mon ca*l*ves ca*l*f <u>boil</u>				/l/ the rest are silent

1	knot	knit	know	kiss	_____
2	hungry	honour	hour	honest	_____
3	walk	talk	calm	cool	_____
4	listen	must	castle	whistle	_____
5	comb	crumb	book	dumb	_____

87 Exercise 16

A homophone is a word that is pronounced the same as another word but the spelling and meaning of the words are different.

✎ Here are some homophones for the words in this book:

Your Language | | Your Language

/beə(r)/	bear	_____	bare	_____
/baɪ/	by	_____	bye	_____
/dɪə(r)/	dear	_____	deer	_____
/hɪə(r)/	hear	_____	here	_____
/nəʊ/	know	_____	no	_____
/siː/	see	_____	sea	_____
/sʌn/	son	_____	sun	_____
/tiː/	tea	_____	tee	_____
/ðeə(r)/	their	_____	there	_____
/weə(r)/	where	_____	wear	_____

✎ **Write the correct word to replace the phonetic symbol:**
The answers are <u>on the next page</u>.

1 The baby is _____ /beə(r)/.

2 That _____ /tiː/ is very hot.

3 That boy is my _____ /sʌn/.

4 _____ /weə(r)/ is my coat?

5 _____ /hɪə(r)/ is my coat!

6 There is _____ /nəʊ/ tea.

7 The _____ /siː/ is hot.

8 Do you _____ /hɪə(r)/ the rain?

9 Do you _____ /nəʊ/ my sister?

10 _____ /ðeə(r)/ mother is German.

11 The _____ /sʌn/ is very hot.

12 _____ /baɪ/ !

13 Do you _____ /weə(r)/ a coat?

14 _____ /dɪə(r)/ mother, how is father?

15 The _____ /tiː/ is in the bag.

16 That _____ /dɪə(r)/ is very curious.

17 Do you _____ /siː/ the red car?

18 That _____ /beə(r)/ is very big.

19 They live _____ /baɪ/ the school.

20 The football is _____ /ðeə(r)/ near the car.

88 Listening 61

 Listen to the CD and

 repeat these sentences:

1   The baby is **bare** /beə(r)/.

2   That **tea** /tiː/ is very hot.

3   That boy is my **son** /sʌn/.

4   **Where** /weə(r)/ is my coat?

5   **Here** /hɪə(r)/ is my coat!

6   There is **no** /nəʊ/ tea.

7   The **sea** /siː/ is hot.

8   Do you **hear** /hɪə(r)/ the rain?

9   Do you **know** /nəʊ/ my sister?

10 **Their** /ðeə(r)/ mother is German.

11 The **sun** /sʌn/ is very hot.

12 **Bye** /baɪ/!

13 Do you **wear** /weə(r)/ a coat?

14 **Dear** /dɪə(r)/ mother, how is father?

15 The **tee** /tiː/ is in the bag.

16 That **deer** /dɪə(r)/ is very curious.

17 Do you **see** /siː/ the red car?

18 That **bear** /beə(r)/ is very big.

19 They live **by** /baɪ/ the school.

20 The football is **there** /ðeə(r)/ near the car.

89 Exercise 17

Here are some more common homophones:

		Your Language			Your Language
/eɪt/	ate	_____	eight	_____	
/feə(r)/	fair	_____	fare	_____	
/fiːt/	feet	_____	feat	_____	
/fɔː(r)/	for	_____	four	_____	
/heə(r)/	hair	_____	hare	_____	
/miːt/	meat	_____	meet	_____	
/nʌn/	none	_____	nun	_____	
/nɒt/	not	_____	knot	_____	
/wʌn/	one	_____	won	_____	
/aʊə(r)/	hour	_____	our	_____	
/steə(r)/	stair	_____	stare	_____	
/tuː/	too	_____	two	_____	

✎ **Write the correct word to replace the phonetic symbol:**
The answers are <u>on the next page</u>.

1 The book is on the _____ /steə(r)/.

2 They _____ /miːt/ at the car.

3 The baby _____ /eɪt/ the bread.

4 _____ /aʊə(r)/ mother is German.

5 She is _____ /nɒt/ my sister.

6 Do they see my bare _____ /fiːt/?

7 They _____ /steə(r)/ at his beard.

8 Do you eat _____ /miːt/?

9 This is _____ /fɔː(r)/ you.

10 She is _____ /fɔː(r)/ in June.

11 His _____ /heə(r)/ is red.

12 She is _____ /feə(r)/.

13 That _____ /heə(r)/ is very fast.

14 My brother is _____ /eɪt/.

15 Do you see the _____ /tuː/ books?

16 We _____ /wʌn/ the football game.

17 He is a hero for his _____ /fiːt/ on the ice.

18 The _____ /nʌn/ is at the school.

19 There is a _____ /nɒt/ in my hair.

20 Do you know the _____ /feə(r)/ for the tour?

21 We go by car for _____ /wʌn/ _____ /aʊə(r)/.

22 The car is _____ /tuː/ hot.

23 Is there water? No, there is _____ /nʌn/.

90 Listening 62

 Listen to the CD and repeat these sentences:

1   The book is on the **stair** /steə(r)/.

2   They **meet** /miːt/ at the car.

3   The baby **ate** /eɪt/ the bread.

4   **Our** /aʊə(r)/ mother is German.

5   She is **not** /nɒt/ my sister.

6   Do they see my bare **feet** /fiːt/?

7   They **stare** /steə(r)/ at his beard.

8   Do you eat **meat** /miːt/?

9   This is **for** /fɔː(r)/ you.

10 She is **four** /fɔː(r)/ in June.

11 His **hair** /heə(r)/ is red.

12 She is **fair** /feə(r)/.

13 That **hare** /heə(r)/ is very fast.

14 My brother is **eight** /eɪt/.

15 Do you see the **two** /tuː/ books?

16 We **won** /wʌn/ the football game.

17 He is a hero for his **feat** /fiːt/ on the ice.

18 The **nun** /nʌn/ is at the school.

19 There is a **knot** /nɒt/ in my hair.

20 Do you know the **fare** /feə(r)/ for the tour?

21 We go by car for **one** /wʌn/ **hour** /aʊə(r)/.

22 The car is **too** /tuː/ hot.

23 Is there water? No, there is **none** /nʌn/.

91 Listening 63

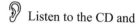

Odd One Out

🔊 Listen to the CD and

✏️ underline the word that sounds different.
Which phonetic symbol is different?
The answers are on page 111.

👄 Play the CD again and repeat the words.

Example   **Phonetic Symbol?**

feet   feat   heat   <u>pear</u>   /eə/ all the rest are /i:/

1	ate	neat	date	eight
2	eat	meet	meat	bear
3	nose	know	no	not
4	near	wear	where	hair
5	tea	tee	head	sea
6	one	won	not	sun
7	fair	fare	far	care
8	none	nun	noun	numb
9	dear	pear	deer	here
10	bye	by	be	bike

Phonetic Crossword 7

 Complete this crossword by writing the words into phonetic symbols.
The answers are on page 112.

Across →

1 butcher
3 information
7 kiss
10 stayed
12 map
13 nap
15 all
17 lamb
20 name
24 kind
26 important
30 ice
31 see
32 stopped
35 at
36 fee
37 mission
40 night
41 wing
42 oath
44 it
46 rain
48 international
49 eat

Down ↓

1 bristle
2 cheque
4 not
5 mammal
6 ship
8 in
9 sand
11 ate
14 pay
16 knot
18 axe
19 my
21 missed
22 morning
23 the
25 knit
27 me
28 tie
29 neat
30 isle
32 sky
33 off
34 Pete (a boy's name)
37 mitten
38 know
39 moon
40 noon
41 wish
43 three
45 oil
47 eight

93 Listening 64

Read the phonetic symbols in the sentences below.

👄 Say the sentences.

👂 Listen to the CD for the pronunciation.
The written answers are on page 112.

1 /ðə/ /bʌs/ /ɪz/ /ˈnɒnˈstɒp/ /fɔː(r)/ /ʃɪˈkɒgəʊ/.

2 /maɪ/ /ˈfɑːðə(r)/ /ɪz/ /ə/ /ˈplʌmə(r)/ /ænd/ /maɪ/ /ˈmʌðə(r)/ /ɪz/ /ə/ /ˌpɒlɪˈtɪʃən/.

3 /ɪt/ /ɪz/ /kwaɪt/ /ˈkwaɪət/ /ɪn/ /hɪə(r)/.

4 /ðə/ /ˈresɪpi/ /fɔː(r)/ /ðə/ /ˈtʃɪkɪn/ /ɪz/ /ɪn/ /ðə/ /ˈkɪtʃɪn/.

5 /ðə/ /bluː/ /bɜː(r)d/ /ɪz/ /ˈsɪŋɪŋ/ /ɪn/ /ðə/ /sɪŋk/.

6 /ðɪs/ /ɪz/ /ə/ /ˈnɒnˈsməʊkɪŋ/ /skuːl/.

7 /huːz/ /ˈwɔːkmən/ /ɪz/ /ðɪs/?

8 /maɪ/ /θʌm/ /ɪz/ /ˈveri/ /nʌm/ /bɪˈkɒz/ /aɪ/ /kʌt/ /ɪt/ /ˈjestɜː(r)deɪ/.

9 /ðæt/ /bɔɪ/ /ɪz/ /ˈveri/ /ˈɒnɪst/.

10 /aɪ/ /eɪt/ /ˈsæmən/, /ˈtʃɪkɪn/ /ænd/ /ˈvedʒtəblz/ /ˈjestɜː(r)deɪ/.

94 Listening 65

Read the phonetic symbols below.

 Say the words.

All these words are new!

1	/ˈæʃtreɪ/	11	/ˌɪnfə(r)ˈmeɪʃn/	21	/kwɪk/
2	/ˈbægɪdʒ/	12	/kiː/	22	/rent/
3	/blæk/	13	/laɪk/	23	/raɪs/
4	/tʃest/	14	/mæd/	24	/sɪks/
5	/deɪt/	15	/meɪk/	25	/sliːp/
6	/ˈfæməli/	16	/nek/	26	/teɪk/
7	/get/	17	/niːd/	27	/tel/
8	/gest/	18	/naɪs/	28	/θrəʊt/
9	/həʊm/	19	/peɪ/	29	/ˈʌnkl/
10	/hænd/	20	/ˈpensl/	30	/ˈvɪlɪdʒ/

Listen to the CD for the pronunciation.
The written answers are on page 112.

You can now read phonetics and
pronounce new English words
correctly!!!

95 Listening 66

Read the phonetic symbols below.

Say the words.

It is a message to you from the author of this book.

/aɪ/ /həʊp/ /juː/ /ɪnˈdʒɔɪd/ /ˈlɜː(r)nɪŋ/ /fəʊˈnetɪks/ /ɪn/ /ðɪs/
/bʊk/ /ænd/ /ðæt/ /juːl/ /kənˈtɪnjuː/ /ˈlɜː(r)nɪŋ/ /kəˈrekt/
/prəˌnʌnsiˈeɪʃn/ /æz/ /juː/ /ˈstʌdi/ /ˈɪŋglɪʃ/ /frʌm/ /naʊ/ /ɒn/.

/gʊd/ /lʌk/ ! ☺

/mæriːˈæn/ /ˈdʒɔːrdæn/

Listen to the CD for the pronunciation.
The written answer is on page 112.

Page 2 Exercise 1

1c	2x	3a	4m	5n	6u	7i	8d	9w
11l	12o	13j	14e	15k	16f	17t	18h	19p
21q	22r	23s	24b	25v				

Page 5 Listening 3

A a1 b5 c7 d6 e2 f3 g9 h8 i11 j1
B a8 b6 c7 d5 e1 f3 g4 h2 i10 j1
C a1 b2 c5 d3 e4 f7 g6 h8 i9
D a2 b3 c1 d5 e4 f7 g6 h9 i8
E a5 b3 c1 d4 e2
F a4 b1 c5 d2 e3

Page 6 Exercise 2

1 ð   2 ŋ   3 ŋ   4 ð   5 n   6 n   7 n   8 n   9 n   10 n
11 n   12 n n 13 n   14 z   15 ŋ   16 ŋ ŋ 17 ŋ   18 θ   19 ð   20 θ
21 ð   22 ð   23 ð   24 ð   25 ð   26 ð   27 ð z 28 ð   29 θ   30 θ ŋ
31 θ ŋ 32 θ   33 θ   34 θ   35 θ   36 ð   37 ð z 38 θ   39 θ   40 θ
41 ŋ   42 ŋ

Page 7 Listening 4

1 **thin** /θ/ the rest are /ð/

2 **those** /ð/ the rest are /θ/

3 **thin** /n/ the rest are /ŋ/

4 **learn** /n/ the rest are /ŋ/

Page 8 Phonetic Crossword 1

		¹s	ʌ	n			²ɪl		
		iː					ɜː		³θ
⁴t		⁵ɪm	ʌ	⁶ð	ə	(r)		ɪ
uː				ə		n		ŋ
⁷θ	ɪ	ŋ	⁸k			⁹ɪ	ŋ	k
			iː			ŋ		
¹⁰ð	e	m		¹¹f			¹²ð
e			¹³d	ɑː		¹⁴ʃ	iː
ə			uː		ð		z
(r)				¹⁵ð	ə	ʊ	¹⁶z
	¹⁷r	e	d		(r)		uː

A	a4	b8	c7	d2	e10	f1	g5	h3	i9	j6
B	a9	b8	c3	d6	e4	f5	g1	h7	i10	j2
C	a3	b10	c8	d7	e4	f5	g6	h9	i1	j2
D	a1	b8	c9	d5	e2	f7	g3	h10	i6	j4

1 b b	2 b	3 b z	4 b	5 b	6 b ð	7 b	8 ʒ	9 ʒ	10 ʒ
11 dʒ	12 dʒ	13 dʒ	14 h	15 h	16 h	17 h	18 h	19 s	20 z
21 dʒ	22 dʒ	23 s	24 s s	25 s	26 ʒ	27 v	28 v	29 v	30 v
31 v	32 ʒ	33 w	34 w	35 w	36 w	37 w	38 z	39 z	40 z

| a 6 | b 13 | c 10 | d 11 | e 1 | f 12 | g 20 | h 5 | i 9 | j 14 |
| k 16 | l 3 | m 7 | n 2 | o 17 | p 4 | q 18 | r 15 | s 19 | t 8 |

1 k k	2 k	3 k	4 tʃ	5 tʃ	6 tʃ	7 tʃ	8 tʃ tʃ
9 k	10 k	11 ʃ	12 ʃ	13 ʃ	14 ʃ	15 ʃ	16 j
17 j	18 j	19 j	20 j				

1   That rose is red.
2   My mother is German.
3   She is my sister.
4   My father is thirty three.
5   She is very thin.

1	**this**	than	that	**thanks**	/θ/ the rest are /ð/
2	**three**	there	throw	thirst	/ð/ the rest are /θ/
3	sing	wing	thing	think	/ŋk/ the rest are /ŋ/
4	ice	is	son	sand	/z/ the rest are /s/
5	ship	sheep	see	she	/ɪ/ the rest are /iː/

Page 18 Phonetic Crossword 2

¹¹w	ɔː	t	ə	(r)		²v	æ	n
ɪ								
s		³æ	n	d		⁴b	ɪ	⁵g
⁶k	æ	t						əʊ
i			⁷k	ɪ	⁸tʃ	ɪ	n	
	⁹p				ɜː			
¹⁰jː	e	¹¹s	t	ɜː	(r)	d	eɪ	
	n				tʃ			¹²ɒ
		¹³s	ʌ	¹⁴n		¹⁵dʒ		n
¹⁶ð	æ	t		əʊ		e		
		æ			¹⁷ɪ	n		¹⁸b
¹⁹ɪ		²⁰f	uː	²¹d		t		æ
²²z	uː			uː		²³l	e	g

Page 20 Exercise 6

1 h	2 j	3 f	4 m	5 a	6 k	7 d
8 e	9 g	10 c	11 l	12 i	13 b	

Page 23 Listening 13

A	a 3	b 6	c 5	d 9	e 1	f 7	g 10	h 8	i 2	j 4
B	a 2	b 7	c 6	d 10	e 4	f 9	g 5	h 1	i 8	j 3
C	a 8	b 4	c 5	d 1	e 9	f 2	g 7	h 3	i 10	j 6
D	a 6	b 10	c 1	d 3	e 9	f 8	g 2	h 4	i 5	j 7

Page 24 Exercise 7

1 i	2 æ	3 ɔː	4 ɔ or ɒ	5 ɪ
6 ɔː	7 æ	8 ɔː	9 ɔ or ɒ	10 ɑː
11 æ i	12 i:	13 ɪ	14 i	15 ɔ or ɒ
16 ɪ	17 ɪ	18 ɔː	19 ɔ or ɒ	20 e or ɛ
21 e or ɛ	22 æ	23 i:	24 i:	25 ɪ
26 i:	27 e or ɛ	28 æ	29 æ	30 i
31 æ	32 e or ɛ	33 ɔ or ɒ	34 ɔː	35 i:
36 e or ɛ				

Page 25 Exercise 8

1 His pen is red.		4	The water is very hot.
2 That doctor is very sad.		5	My father is a doctor.
3 He is my father.			

Page 27 Exercise 9

1 /bæg/	2 /bɪˈkɒz/	3 /bɪg/	4 /kæt/	5 /ˈhæpi/
6 /hi:/	7 /hɪz/	8 /hɒt/	9 /ɪz/	10 /lɪv/
11 /ˈmɔ:(r)nɪŋ/	12 /nɒt/	13 /pen/	14 /red/	15 /sæd/
16 /si:/	17 /ʃi:/	18 /ti:/	19 /ten/	20 /θæŋks/
21 /ðæt/	22 /ˈtwenti/	23 /væn/	24 /ˈveri/	25 /wɒnt/
26 /wi:/	27 /jes/			

Page 28 Phonetic Crossword 3

1	2	3	4	5	6	7	8	9
¹f	a:	²ð	ə	³r	■	⁴l	ɪ	⁵v
ʊ	■	ə	■	e	■	ɜ:	■	æ
t	■	d	■	d	■	(r)	■	n
⁶b	r	⁷ɪ	ŋ	■	⁸æ	n	⁹d	■
ɔ:	■	n	■	¹⁰t	■	■	ɔ:	■
¹¹l	ʊ	k	■	¹²w	i:	■	¹³n	əʊ
■	■	■	■	e	■	¹⁴m	■	■
■	■	¹⁵w	■	n	■	ɔ:	■	¹⁶h
■	¹⁷d	ɒ	k	t	ə	(r)	■	ɒ
¹⁸d	■	n	■	i	■	¹⁹n	ɒ	t
a:	■	²⁰t	i:	■	■	ɪ	■	■
(r)	■	■	²¹θ	²²ɪ	ŋ	■	■	²³ʃ
²⁴k	a:	(r)	■	n	■	²⁵s	i:	■

A	a 3	b 7	c 9	d 5	e 1	f 8	g 10	h 2	i 6	j 4
B	a 9	b 6	c 2	d 12	e 15	f 11	g 4	h 14	i 5	j 8
	k 1	l 13	m 10	n 3	o 7					

1 ɜː	2 ɜː	3 ʊ	4 uː	5 ʊ
6 uː	7 ʌ	8 ʌ	9 ɜː	10 ə
11 uː	12 ʊ	13 ʊ	14 ə	15 ʌ
16 ʊ	17 ɜː	18 ɜː	19 ə	20 ə
21 ʌ	22 uː	23 ə	24 ʌ	25 uː

1   My father is a good cook.
2   Do you cook?
3   Do you learn football at school?
4   The food is very good.
5   She cut her foot.

1 /bɜː(r)d/	10 /fuːd/	19 /ˈmʌðə(r)/
2 /ˈbɜː(r)θdeɪ/	11 /fʊt/	20 /rʌn/
3 /bʊk/	12 /ˈfʊtbɔːl/	21 /skuːl/
4 /buːt/	13 /ˈfjuːəl/	22 /ˈsevrəl/
5 /kʊk/	14 /fʌn/	23 /sʌn/
6 /kuːl/	15 /gʊd/	24 /θʌm/
7 /kʌt/	16 /hɜː(r)/	25 /juː/
8 /ɜː(r)θ/	17 /lɜː(r)n/	
9 /ˈfɑːðə(r)/	18 /ˈletə(r)/	

1	she	see	<u>twenty</u>	tea	/i/ the rest are /iː/
2	<u>ten</u>	live	big	sister	/e/ the rest are /ɪ/
3	<u>very</u>	ten	pen	red	/i/ the rest are /e/
4	<u>pen</u>	tea	he	we	/e/ the rest are /iː/
5	car	far	<u>sad</u>	dark	/æ/ the rest are /ɑː/
6	cat	<u>car</u>	bag	van	/ɑː/ the rest are /æ/
7	hot	not	<u>far</u>	want	/ɑː/ the rest are /ɒ/
8	water	ball	call	<u>sad</u>	/æ/ the rest are /ɔː/
9	good	<u>food</u>	foot	book	/uː/ the rest are /ʊ/
10	<u>her</u>	father	mother	letter	/ɜː/ the rest are /ə/

Answers

Page 36 Phonetic Crossword 4

¹k		²¹b	eɪ	³b	i		⁴w	ɒ	n	t
u:		ɜ:		r		⁵s	i:			
⁶k	ɑ:	(r)		⁷ɪ	ŋ	k		⁸h	ɪ	⁹z
		¹⁰θ	ɪ	ŋ		u:		ɜ:		u:
¹¹f	u:	d			¹²l	ɜ:	(r)	¹³n		
ʊ		eɪ		¹⁴θ				əʊ		
¹⁵t	i:		¹⁶ɪs	ɪ	s	t	ə	(r)		¹⁷ˈv
	¹⁸t	e	n					¹⁹ʃ	i:	
²⁰j	u:	v		²¹d	ɑ:	(r)	²²k		z	
	r		u:			u:		ə		
²³ˈf	ɑ:	ð	ə	(r)	²⁴h		l			
j		l		²⁵ð	i:	z		²⁶f		
u:	²⁷b		ə			²⁸k	ʌ	p		
ə	²⁹æ	n	³⁰d		³¹s	ʌ	n			
³²l	e	g		u:		³³f	i:	t		

1c
2e
3h
4g
5a
6f
7d
8b

Page 41 Listening 21

A a 1 b 16 c 6 d 5 e 17 f 14 g 15 h 7 i 20 j 8
   k 2 l 10 m 11 n 9 o 3 p 18 q 4 r 19 s 13 t 12
B a 5 b 8 c 16 d 4 e 18 f 10 g 9 h 14 i 13 j 2
   k 12 l 3 m 6 n 1 o 19 p 7 q 20 r 17 s 15 t 11

Page 42 Exercise 14

1 aʊ	9 eɪ	17 eɪ	25 eɪ	33 aɪ
2 eə	10 eə	18 əʊ	26 ɪə	34 əʊ
3 eə	11 əʊ	19 eə	27 ɔɪ	35 aɪ
4 ɪə	12 aʊ	20 ɪə	28 aʊ	36 əʊ
5 ɪə	13 ʊə	21 aʊ	29 aʊ	37 ʊə
6 ɔɪ	14 ʊə	22 ɔɪ	30 ʊə	38 ʊə
7 ɔɪ	15 ɪə	23 əʊ	31 eɪ	39 ɔɪ
8 aɪ	16 aɪ	24 aɪ	32 eɪ	40 eə

Page 43 Exercise 15

1   That boy is very curious.
2   Do you know my name?
3   Do you smoke?
4   Where is my coat?
5   Do you hear that noise?

1	/əˈbaʊt/	11	/kəʊt/	21	/haʊ/	31	/reɪn/
2	/eə(r)/	12	/kaʊ/	22	/dʒɔɪ/	32	/seɪm/
3	/beə(r)/	13	/kjʊə(r)/	23	/nəʊ/	33	/skaɪ/
4	/bɪə(r)d/	14	/ˈkjʊəriəs/	24	/maɪ/	34	/sməʊk/
5	/bɪə(r)/	15	/dɪə(r)/	25	/neɪm/	35	/taɪ/
6	/bɔɪl/	16	/aɪ/	26	/nɪə(r)/	36	/təʊ/
7	/bɔɪ/	17	/geɪm/	27	/nɔɪz/	37	/tʊə(r)/
8	/baɪ/	18	/gəʊ/	28	/naʊn/	38	/ˈtʊərɪst/
9	/keɪm/	19	/heə (r)/	29	/daʊn/	39	/tɔɪ/
10	/keə(r)/	20	/hɪə (r)/	30	/pjʊər/	40	/weə(r)/

1	how	cow	**know**	about	/əʊ/ the rest are /aʊ/
2	game	same	rain	**hair**	/eə/ the rest are /eɪ/
3	know	**how**	coat	toe	/aʊ/ the rest are /əʊ/
4	**bear**	hear	near	beard	/eə/ the rest are /ɪə/
5	my	by	**boy**	tie	/ɔɪ/ the rest are /aɪ/
6	where	air	bear	**beer**	/ɪə/ the rest are /eə/
7	noise	toy	boy	**by**	/aɪ/ the rest are /ɔɪ/
8	tour	tourist	**noun**	pure	/aʊ/ the rest are /ʊə/
9	care	hair	air	**rain**	/eɪ/ the rest are /eə/
10	**toe**	noise	boil	joy	/əʊ/ the rest are /ɔɪ/

Crossword grid

1 That big/<u>pig</u> is very big/pig.
2 That is a very big/pig big/<u>pig</u>.
3 Do you see <u>Ben</u>/pen?
4 Do you see the Ben/<u>pen</u>?
5 Do you see the bear/<u>pear</u>?
6 Do you see the <u>bear</u>/pear?
7 That is his <u>back</u>/pack.
8 That is his back/<u>pack</u>.

1   You <u>do</u>/too!
2   You do/<u>too</u>?
3   That is a <u>tent</u>/dent.
4   That is not a tent/<u>dent</u>.
5   Is that a <u>deer</u>/tear?
6   Is that a deer/<u>tear</u>?
7   It is a <u>bet</u>/bed.
8   It is not a bet/<u>bed</u>.
9   Is it a cot/<u>cod</u>?
10 Is it a <u>cot</u>/cod?

1   It is a curl/<u>girl</u>.
2   It is not a <u>curl</u>/girl.
3   That is a <u>cap</u>/gap.
4   That is not a cap/<u>gap</u>.
5   Do you see the class/<u>glass</u>?
6   Do you see the <u>class</u>/glass?
7   Do you see the <u>clue</u>/glue?
8   Do you see the clue/<u>glue</u>?
9   It is a <u>clock</u>/clog.
10 It is not a clock/<u>clog</u>.

1   Is that a <u>fan</u>/van?
2   No, it is a fan/<u>van</u>.
3   America is very fast/<u>vast</u>.
4   America is very <u>fast</u>/vast.
5   Do you <u>have</u>/half a car?
6   I <u>have</u>/half have/<u>half</u> a beard.
7   <u>Leave</u>/leaf the leave/<u>leaf</u> in the book.
8   I have three <u>of</u>/off them.
9   The television is of/<u>off</u>.
10 I want a cup <u>of</u>/off ice.

1   That is while/<u>vile</u>.
2   I sing <u>while</u>/vile I walk.
3   That <u>verse</u>/worse is sad.
4   That is verse/<u>worse</u>.
5   Is that a <u>whale</u>/veil?
6   Is that a whale/<u>veil</u>?
7   That wine/<u>vine</u> is his.
8   That <u>wine</u>/vine is his.
9   I vent/<u>went</u> to the car.
10 Is that a <u>vent</u>/went?

1   Do you have a <u>dose</u>/doze?
2   Do you want a dose/<u>doze</u>?
3   Is she <u>Miss</u>/Ms Smith?
4   Is she Miss/<u>Ms</u> Jones?
5   Is that <u>Sue</u>/zoo?
6   Is that the Sue/<u>zoo</u>?
7   Do you hear the bus/<u>buzz</u>?
8   Do you hear the <u>bus</u>/buzz?
9   Where is the <u>price</u>/prize?
10 Where is the price/<u>prize</u>?

1   Do you like to <u>lead</u>/read?
2   Do you like to lead/<u>read</u>?
3   Do you like <u>lace</u>/race?
4   Do you like to lace/<u>race</u>?
5   Is that a <u>lake</u>/rake?
6   Is that a <u>lake</u>/rake?
7   Is that a lamp/<u>ramp</u>?
8   Is it a <u>lamp</u>/ramp?
9   Is that a <u>laser</u>/razor?
10 Is that a laser/<u>razor</u>?

1   This is meat/<u>neat</u>.
2   This is <u>meat</u>/neat.
3   She is a <u>mum</u>/nun.
4   She is a mum/<u>nun</u>.
5   This is a <u>male</u>/nail.
6   This is a <u>male</u>/nail.
7   She has a <u>map</u>/nap.
8   She has a map/<u>nap</u>.
9   Do you <u>know</u>/mow it?
10 Do you know/<u>mow</u> it?

Page 56 Listening 32

1 This thing/thin is very thing/thin.
2 Is that a wing/win?
3 Is that a wing/win?
4 Do you sing/sin?
5 Do you sing/sin?
6 Is that a ping/pin?
7 Is that a ping/pin?
8 Is that a tongue/ton?
9 Is that a tongue/ton?

Page 57 Listening 33

1 She is three/tree.
2 The baby has teeth/teat.
3 What do you think/sink?
4 Do you thing/sing?
5 It is very thin/sin.
6 Is it a mouse/mouth?
7 They/day are here.
8 I like to those/doze.
9 It is there/dare.

Page 58 Listening 34

	/ʃ/	/ʒ/
1	✓	
2		✓
3		✓
4	✓	
5		✓
6		✓
7	✓	

	/ʃ/	/ʒ/
8	✓	
9		✓
10	✓	
11	✓	
12		✓
13		✓
14	✓	

Page 59 Listening 35

	/tʃ/	/dʒ/
1		✓
2		✓
3	✓	
4	✓	
5	✓	
6		✓
7	✓	

	/tʃ/	/dʒ/
8		✓
9		✓
10		✓
11	✓	
12		✓
13	✓	
14	✓	

Page 60 Listening 36

	/dʒ/	/j/
1	✓	
2		✓
3	✓	
4	✓	
5		✓
6		✓
7		✓
8	✓	

	/dʒ/	/j/
9	✓	
10		✓
11	✓	
12		✓
13	✓	
14		✓
15	✓	
16		✓

Page 61 Listening 37

	/h/	/vowel/dip
1	✓	
2		✓
3	✓	
4		✓
5		✓
6	✓	
7	✓	

	/h/	/vowel/dip
8		✓
9		✓
10	✓	
11	✓	
12		✓
13		✓
14	✓	

Page 62 Listening 38

/iː/	/ɪ/	/i/
see	his	twenty
he	big	baby
she	is	happy
tea	live	honey
we	sister	very

Page 63 Listening 39

/e/ or /ɛ/	/ɜː/
ten	learn
very	bird
pen	her
red	birthday
yes	earth

/æ/	/ɑ:/	/ə/
cat	father	letter
bag	car	fuel
happy	dark	mother
sad	far	father
van	hard	several

/aʊ/	/əʊ/	/ɪə/
how	go	hear
about	coat	beard
cow	know	beer
down	smoke	dear
noun	toe	near

/ɔ/or /ɒ/	/ɔ:/
hot	morning
because	ball
doctor	call
not	dawn
want	water

/eə/	/ʊə/
where	tour
air	cure
bear	curious
care	pure
hair	tourist

/ʊ/	/u:/	/ʌ/
football	you	sun
book	boot	cup
cook	cool	cut
foot	food	fun
good	school	run

/eɪ/	/aɪ/	/ɔɪ/
name	my	boy
came	by	boil
game	eye	joy
rain	sky	noise
same	tie	toy

¹dʒ	əʊ	²k		³s	æ	n	⁴d	
e		⁵æ	s	k			e	
⁶t	⁷i:	t		u:		⁸æ	n	⁹d
	t		¹⁰	¹¹		¹²		u:
			¹⁰əʊ	l	¹¹d		¹²t	u:
		¹³tʃ			I			
		¹⁴I	n		¹⁵'v	i	¹⁶z	ə
¹⁷b	ʊ	k		I		u:		
ʌ		¹⁸	¹r	əʊ	¹⁹ʒ n		²⁰'dʒ	
²¹s	ʌ	n			²²n	əʊ	u:	
			²³ɔɪ		z		d	
	²⁴θ		²⁵l	ʊ	²⁶k	²⁷t	əʊ	
²⁸s	I	ŋ			ʊ	ʌ		
	n		²⁹,w	i:	k	'e	n	d

Page 71 Listening 46

b	/b/	**l**	/l/	**t**	/t/
baby	/ˈbeɪbi/	leg	/leg/	tea	/tiː/
bag	/bæg/	letter	/ˈletə(r)/	teeth	/tiːθ/
ball	/bɔːl/	live	/lɪv/	ten	/ten/

d	/d/	**m**	/m/	**v**	/v/
dark	/dɑː(r)k/	morning	/ˈmɔː(r)nɪŋ/	vast	/væst/
do	/duː/	mother	/ˈmʌðə(r)/	verb	/vɜː(r)b/
down	/daʊn/	my	/maɪ/	very	/ˈveri/

f	/f/	**n**	/n/	**y**	/j/
far	/fɑː(r)/	no	/nəʊ/	yes	/jes/
fast	/fæst/	not	/nɒt/	yet	/jet/
father	/ˈfɑːðə(r)/	nothing	/ˈnʌθɪŋ/	you	/juː/

k	/k/	**p**	/p/	**z**	/z/
kind	/kaɪnd/	pen	/pen/	zero	/ˈzɪərəʊ/
kitchen	/ˈkɪtʃɪn/	pig	/pɪg/	zodiac	/ˈzəʊdɪæk/
		pack	/pæk/	zoo	/zuː/

r	/r/
red	/red/

Page 72 Listening 47

cc	/k/	**ll**	/l/	**rr**	/r/
occasion	/əˈkeɪʒn/	all	/ɔːl/	mirror	/ˈmɪrə(r)/
occupation	/ˌɒkjuˈpeɪʃn/	ball	/bɔːl/	tomorrow	/təˈmɒrəʊ/
tobacco	/təˈbækəʊ/	fall	/fɔːl/	borrow	/ˈbɒrəʊ/
ee	/iː/	**mm**	/m/	**ss**	/s/
agree	/əˈgriː/	mummy	/ˈmʌmi/	pass	/pæs/
fee	/fiː/	mammal	/ˈmæml/	grass	/græs/
tree	/triː/	**nn**	/n/	kiss	/kɪs/
ff	/f/	manner	/ˈmænə(r)/	**tt**	/t/
staff	/stæf/	tunnel	/ˈtʌnl/	kitten	/ˈkɪtn/
afford	/əˈfɔː(r)d/	funny	/ˈfʌni/	mitten	/ˈmɪtn/
affair	/əˈfeə(r)/	**pp**	/p/	pretty	/ˈprɪti/
gg	/g/	nappy	/ˈnæpi/		
egg	/eg/	happy	/ˈhæpi/		
foggy	/ˈfɒgi/	opposite	/ˈɒpəzɪt/		
groggy	/ˈgrɒgi/				

Page 73 Listening 48

ck = /k/		ph = /f/		sh = /ʃ/		ng = /ŋ/	
pack	/pæk/	photo	/ˈfəʊtəʊ/	she	/ʃiː/	sing	/sɪŋ/
back	/bæk/	phone	/fəʊn/	shoe	/ʃuː/	song	/sɒŋ/
smack	/smæk/	phonetics	/fəʊˈnetɪks/	fish	/fɪʃ/	sung	/sʌŋ/

Page 74 Listening 49

de = /dɪ/		mal = /mæl/	
design	/dɪˈzaɪn/	malfunction	/ˌmælˈfʌŋkʃən/
depart	/dɪˈpɑː(r)t/	malnourished	/ˌmælˈnʌrɪʃt/
describe	/dɪˈskraɪb/	malpractice	/ˌmælˈpræktɪs/
dis = /dɪs/		**non = /nɒn/**	
disagree	/ˌdɪsəˈgriː/	non-fiction	/ˈnɒnˈfɪkʃən/
disappear	/ˌdɪsəˈpɪə(r)/	non-smoking	/ˈnɒnˈsməʊkɪŋ/
disappoint	/ˌdɪsəˈpɔɪnt/	non-stop	/ˈnɒnˈstɒp/
fore =/fɔː(r)/		**un = /ʌn/**	
forecast	/ˈfɔː(r)kɑːst/	unlucky	/ʌnˈlʌki/
foreground	/ˈfɔː(r)graʊnd/	unpack	/ˌʌnˈpæk/
forehead	/ˈfɔː(r)hed/	unsuccessful	/ˌʌnsəkˈsesfəl/
inter = /ɪntə(r)/			
interview	/ˈɪntə(r) vjuː/		
international	/ˌɪntə(r)ˈnæʃnəl/		
interrupt	/ˌɪntəˈrʌpt/		

Page 75 Listening 50

able = /əbl/		ize/ise = /aɪz/	
capable	/ˈkeɪpəbl/	criticize	/ˈkrɪtɪsaɪz/
manageable	/ˈmænɪdʒəbl/	idolize	/ˈaɪdəˌlaɪz/
profitable	/ˈprɒfɪtəbl/	sympathize	/ˈsɪmpəθaɪz/
er = /ə(r)/		**ive = /ɪv/**	
colder	/ˈkəʊldə(r)/	active	/ˈæktɪv/
hotter	/ˈhɒtə(r)/	creative	/kriˈeɪtɪv/
warmer	/ˈwɔː(r)mə(r)/	supportive	/səˈpɔː(r)tɪv/
est = /est/		**ly = /li/**	
coldest	/ˈkəʊldest/	happily	/ˈhæpɪli/
hottest	/ˈhɒtest/	sadly	/ˈsædli/
warmest	/ˈwɔː(r)mest/	warmly	/ˈwɔː(r)mli/

tion = /ʃn/

exception	/ɪkˈsepʃn/
mention	/ˈmenʃn/
option	/ˈɒpʃn/

sion = /ʒn/

confusion	/kənˈfjuːʒn/
erosion	/ɪˈrəʊʒn/
television	/ˈtelɪvɪʒn/

t/cious = /ʃəs/

cautious	/ˈkɔːʃəs/
malicious	/məˈlɪʃəs/
vicious	/ˈvɪʃəs/

tant = /ənt/

important	/ɪmˈpɔː(r)tənt/
expectant	/ɪksˈpektənt/
mutant	/ˈmjuːtənt/

ment = /mənt/

contentment	/kənˈtentmənt/
enjoyment	/ɪnˈdʒɔɪmənt/
fulfillment	/fʊlˈfɪlmənt/

cian = /ʃən/

optician	/ɒpˈtɪʃən/
politician	/ˌpɒlɪˈtɪʃən/
Grecian	/ˈɡriːʃən/

c = /k/

cake	/keɪk/
court	/kɔː(r)t/
cut	/kʌt/

c = /s/

ceiling	/ˈsiːlɪŋ/
face	/feɪs/
recipe	/ˈresɪpi/

f = /f/

face	/feɪs/
off	/ɒf/
have to	/hæf tuː/

f = /v/

| of | /ɒv/ |

g = /ɡ/

finger	/ˈfɪŋɡə(r)/
get	/ɡet/
give	/ɡɪv/

g = /dʒ/

ginger	/ˈdʒɪndʒə(r)/
gesture	/ˈdʒestʃə(r)/
giant	/ˈdʒaɪənt/

o = /əʊ/

| oasis | /əʊˈeɪsɪs/ |
| oath | /əʊθ/ |

o = /ə/

occasion	/əˈkeɪʒən/
obtain	/əbˈteɪn/
offense	/əˈfens/

o = /ɒ/

| occupy | /ˈɒkjuːpaɪ/ |
| off | /ɒf/ |

s = /s/

sell	/sel/
waist	/weɪst/
books	/bʊks/

s = /z/

easy	/ˈiːzi/
has	/hæz/
jeans	/dʒiːnz/

u = /ʌ/

ugly	/ˈʌɡli/
unable	/ʌnˈeɪbl/
upset	/ʌpˈset/

u = /juː/

useful	/ˈjuːsfʊl/
usual	/ˈjuːʒʊəl/
utopia	/juːˈtəʊpɪə/

ch = /k/

echo   /'ekəʊ/
school   /skuːl/

ch = /ʃ/

Chicago /ʃɪ'kɒgəʊ/
chic   /ʃiːk/

ch = /tʃ/

kitchen /'kɪtʃɪn/
chicken /'tʃɪkɪn/

gh = /f/

cough   /kɒf/
enough /ɪ'nʌf/

gh = /g/

ghost   /gəʊst/
spaghetti /spə'geti/

th = /θ/

thing   /θɪŋ/
three   /θriː/

th = /ð/

this   /ðɪs/
that   /ðæt/

ou = /aʊ/

cloud   /klaʊd/
noun   /naʊn/

ou = /ɔː/

bought /bɔːt/
fought /fɔːt/

ea = /e/

head   /hed/
feather /'feðə(r)/

ea = /iː/

easy   /'iːzi/
tea   /tiː/

ea = /eə/

pear   /peə(r)/
tear   /teə(r)/

ea = /ɪə/

clear   /klɪə(r)/
tear   /tɪə(r)/

ea = /eɪ/

steak   /steɪk/
great   /greɪt/

oo = /uː/

mood   /muːd/
noon   /nuːn/

oo = /ʊ/

book   /bʊk/
look   /lʊk/

qu = /kw/

quiet   /'kwaɪət/
quite   /kwaɪt/

qu = /k/

mosque /mɒsk/
queue   /kjuː/

re = /rɪ/

remove /rɪ'muːv/
repeat /rɪ'piːt/

re = /ri/

renew   /ri'njuː/
repay   /ri'peɪ/

1	lik**ed**	look**ed**	<u>add**ed**</u>	typ**ed**	<u>/ɪd/ the rest are /t/</u>
2	sell	<u>his</u>	waist	books	<u>/z/ the rest are /s/</u>
3	<u>face</u>	cake	court	cut	<u>/s/ the rest are /k/</u>
4	pleasure	measure	<u>sure</u>	casual	<u>/ʃ/ the rest are /ʒ/</u>
5	useful	usual	utopia	<u>ugly</u>	<u>/ʌ/ the rest are /juː/</u>
6	bus	price	dose	<u>is</u>	<u>/z/ the rest are /s/</u>
7	stopp**ed**	<u>clos**ed**</u>	miss**ed**	touch**ed**	<u>/d/ the rest are /t/</u>
8	van	sad	<u>far</u>	happy	<u>/ɑː/ the rest are /æ/</u>
9	ea**s**y	eat	tea	<u>pear</u>	<u>/eə/ the rest are /iː/</u>
10	<u>finish**ed**</u>	land**ed**	visit**ed**	post**ed**	<u>/t/ the rest are /ɪd/</u>

b

comb	/kəum/
dumb	/dʌm/
lamb	/læm/

c

| muscle | /ˈmʌsl/ |

e

axe	/æks/
bike	/baɪk/
bite	/baɪt/
blouse	/blauz/
brake	/breɪk/

h

| heir | /eə(r)/ |
| hour | /auə(r)/ |

k

knee	/niː/
knife	/naɪf/
know	/nəu/

l

almond	/ˈɑːmənd/
calf	/kæf/
calm	/kɑːm/

n

| autumn | /ˈɔːtəm/ |

s

| isle | /aɪl/ |
| island | /ˈaɪlənd/ |

t

batch	/bætʃ/
bristle	/ˈbrɪsl/
butcher	/ˈbutʃə(r)/
castle	/ˈkæsl/
catch	/kætʃ/

w

| two | /tuː/ |

ch

| yacht | /jɒt/ |

gh

might	/maɪt/
sight	/saɪt/
thigh	/θaɪ/
through	/θruː/
thought	/θɔːt/

though	/ðəu/
thorough	/ˈθʌrə/
tight	/taɪt/
weigh	/weɪ/

wh

whale	/weɪl/
what	/wɒt/
wheat	/wiːt/

whisper	/ˈwɪspə(r)/
white	/waɪt/
why	/waɪ/

wh

| who | /huː/ |
| whole | /həul/ |

ate	kneel	numb	thumb	where
blue	knit	plumb	tighten	which
bomb	knob	plumber	vegetable	while
calves	knock	rustle	walk	whisky
chalk	knot	salmon	walkman	whistle
crumb	knuckle	talk	weight	whose
honest	listen	thistle	wheel	wrestle
honour	mighty	thoughtful	when	

Page 85 Listening 59

		British English	American English
1	air		/eər/
2	beard	/bɪəd/	
3	butcher	/'butʃə/	
4	cheer		/tʃɪər/
5	depart		/dɪ'pɑːrt/
6	doctor	/'dɒktə/	
7	earth	/ɜːθ/	
8	forehead	/'fɔːhed/	
9	important		/ɪm'pɔːrtənt/
10	pleasure		/'pleʒər/

Page 86 Listening 60

1	**k**not	**k**nit	**k**now	**kiss**	/k/ the rest are *silent*
2	**hungry**	**h**onour	**h**our	**h**onest	/h/ the rest are silent
3	wa**l**k	ta**l**k	ca**l**m	**cool**	/l/ the rest are silent
4	lis**t**en	**must**	cas**t**le	whis**t**le	/t/ the rest are silent
5	com**b**	crum**b**	**book**	dum**b**	/b/ the rest are silent

Page 91 Listening 63

1	ate	**neat**	date	**eight**	/iː/ all the rest are /eɪ/
2	eat	meet	meat	**bear**	/eə/ all the rest are /iː/
3	nose	know	no	**not**	/ɒ/ all the rest are /əʊ/
4	**near**	wear	where	hair	/ɪə/ all the rest are /eə/
5	tea	tee	**head**	sea	/e/ all the rest are /iː/
6	one	won	**not**	sun	/ɒ/ all the rest are /ʌ/
7	fair	fare	**far**	care	/ɑː/ all the rest are /eə/
8	none	nun	**noun**	numb	/aʊ/ all the rest are /ʌ/
9	dear	**pear**	deer	here	/eə/ all the rest are /ɪə/
10	bye	by	**be**	bike	/iː/ all the rest are /aɪ/

Page 92 Phonetic Crossword 7

¹b	ʌ	²tʃ	ə	(r)		³ɪɪ	⁴n	f	ə	(r)	⁵ɪm	eɪ	⁶ʃ	n
r		e					ɒ				æ		ɪ	
ɪ		⁷k	⁸ɪ	⁹s		¹⁰s	t	¹¹eɪ	d		¹²m	æ	p	
s			¹³n	æ	¹⁴p			t		¹⁵ɔ:	l			¹⁶n
¹⁷l	¹⁸æ	¹⁹m		²⁰n	eɪ	²¹m		²²ɪm				²³ð		ɒ
	²⁴k	aɪ	²⁵n	d		²⁶ɪ	²⁷m	¹p	ɔ:	(r)	²⁸t	e	²⁹n	t
³⁰aɪ	s		ɪ			³¹s	i:		(r)		aɪ		i:	
⌐	³²s	t	³³ɒ	³⁴p	t		n				³⁵æ	t		
	k		³⁶f	i:			³⁷ɪm	ɪ	ʃ	³⁸n				³⁹m
	⁴⁰n	aɪ	t		t	⁴¹w	ɪ	ŋ		⁴²əʊ	⁴³θ			u:
	u:				⁴⁴ɪ	t		⁴⁵ɔ:			⁴⁶r	⁴⁷eɪ	n	
⁴⁸ɪɪ	n	t	ə	(r)	¹n	æ	ʃ	n	ə	l		⁴⁹i:	t	

Page 93 Listening 64

1   The bus is non-stop for Chicago.
2   My father is a plumber and my mother is a politician.
3   It is quite quiet in here.
4   The recipe for the chicken is in the kitchen.
5   The blue bird is singing in the sink.
6   This is a non-smoking school.
7   Whose walkman is this?
8   My thumb is very numb because I cut it yesterday.
9   That boy is very honest.
10 I ate salmon, chicken and vegetables yesterday.

Page 94 Listening 65

1 ashtray /ˈæʃtreɪ/

2 baggage
  /ˈbægɪdʒ/

3 black /blæk/

4 chest /tʃest/

5 date /deɪt/

6 family /ˈfæməli/

7 get /get/

8 guest /gest/

9 home /həʊm/

10 hand /hænd/

11 information
   /ˌɪnfə(r)ˈmeɪʃn/

12 key /ki:/

13 like /laɪk/

14 mad /mæd/

15 make /meɪk/

16 neck /nek/

17 need /ni:d/

18 nice /naɪs/

19 pay /peɪ/

20 pencil /ˈpensl/

21 quick /kwɪk/

22 rent /rent/

23 rice /raɪs/

24 six /sɪks/

25 sleep /sli:p/

26 take /teɪk/

27 tell /tel/

28 throat /θrəʊt/

29 uncle /ˈʌnkl/

30 village /ˈvɪlɪdʒ/

Page 95 Listening 66

I hope you enjoyed learning phonetics in this book and that you will continue
learning correct pronunciation as you study English from now on.

Good Luck! ☺
Marianne Jordan

Vocabulary

A

a	/ə/
about	/əˈbaʊt/
active	/ˈæktɪv/
added	/ˈædɪd/
affair	/əˈfeə(r)/
afford	/əˈfɔː(r)d/
agree	/əˈgriː/
air	/eə(r)/
all	/ɔːl/
almond	/ˈɑːmənd/
and	/ænd/
angry	/ˈæŋgri/
ash	/æʃ/
ashtray	/ˈæʃtreɪ/
Asia	/ˈeɪʒæ/
ask	/æsk/
at	/æt/
ate	/eɪt/
axe	/æks/
autumn	/ˈɔːtəm/

B

baby	/ˈbeɪbi/
back	/bæk/
bag	/bæg/
baggage	/ˈbægɪdʒ/
ball	/bɔːl/
bare	/beə(r)/
batch	/bætʃ/
bear	/beə(r)/
beard	/bɪə(r)d/
because	/brɪˈkɒz/
bed	/bed/
beer	/bɪə(r)/

Ben	/ben/
bet	/bet/
big	/bɪg/
bike	/baɪk/
bird	/bɜː(r)d/
birthday	/ˈbɜː(r)θdeɪ/
bite	/baɪt/
black	/blæk/
blouse	/blaʊz/
blue	/bluː/
boil	/bɔɪl/
bomb	/bɒm/
book	/bʊk/
books	/bʊks/
boot	/buːt/
borrow	/ˈbɒrəʊ/
bought	/bɔːt/
boy	/bɔɪ/
brake	/breɪk/
bring	/brɪŋ/
bristle	/ˈbrɪsl/
brother	/ˈbrʌðə(r)/
bus	/bʌs/
but	/bʌt/
butcher	/ˈbʊtʃə(r)/
buzz	/bʌz/
by	/baɪ/
bye	/baɪ/

C

cake	/keɪk/
calf	/kæf/
call	/kɔːl/
calm	/kɑːm/
calves	/kævz/

came	/keɪm/
cap	/kæp/
capable	/'keɪpəbl/
car	/kɑ:(r)/
care	/keə(r)/
cash	/kæʃ/
castle	/'kæsl/
casual	/'kæʒuəl/
cat	/kæt/
catch	/kætʃ/
cautious	/'kɔ:ʃəs/
ceiling	/'si:lɪŋ/
chalk	/tʃɔ:k/
cheer	/tʃɪə(r)/
cheque	/tʃek/
cherry	/'tʃeri/
chest	/tʃest/
chic	/ʃi:k/
Chicago	/ʃɪ'kɒgəʊ/
chicken	/'tʃɪkɪn/
child	/tʃaɪld/
chin	/tʃɪn/
choke	/tʃəʊk/
choose	/tʃu:z/
church	/tʃɜ:(r)tʃ/
class	/klæs/
clear	/klɪə(r)/
clock	/klɒk/
clog	/klɒg/
closed	/kləʊzd/
cloud	/klaʊd/
clue	/klu:/
coat	/kəʊt/
cod	/kɒd/
colder	/'kəʊldə(r)/
coldest	/'kəʊldest/
comb	/kəʊm/
confusion	/kən'fju:ʒn/

contentment	/kən'tentmənt/
cook	/kʊk/
cool	/ku:l/
cot	/kɒt/
cough	/kɒf/
court	/kɔ:(r)t/
cow	/kaʊ/
creative	/kri'eɪtɪv/
criticize	/'krɪtɪsaɪz/
crumb	/krʌm/
cup	/kʌp/
cure	/kjʊə(r)/
curious	/'kjʊəriəs/
curl	/kɜ:(r)l/
cut	/kʌt/

D

dance	/dæns/
dare	/deə(r)/
dark	/dɑ:(r)k/
date	/deɪt/
dawn	/dɔ:n/
day	/deɪ/
dead	/ded/
dear	/dɪə(r)/
decided	/dɪ'saɪdɪd/
deer	/dɪə(r)/
dent	/dent/
depart	/dɪ'pɑ:(r)t/
describe	/dɪ'skraɪb/
design	/dɪ'zaɪn/
disagree	/ˌdɪsə'gri:/
disappear	/ˌdɪsə'pɪə(r)/
disappoint	/ˌdɪsə'pɔɪnt/
discussed	/dɪ'skʌst/
division	/dɪ'vɪʒn/
do	/du:/
doctor	/'dɒktə(r)/
dose	/dəʊs/

down	/daʊn/	fish	/fɪʃ/
doze	/dəʊz/	foggy	/ˈfɒgi/
dumb	/dʌm/	food	/fuːd/
E		foot	/fʊt/
ear	/ɪə(r)/	football	/ˈfʊtbɔːl/
earth	/ɜː(r)θ/	for	/fɔː(r)/
easy	/ˈiːzi/	forecast	/ˈfɔː(r)kɑːst/
eat	/iːt/	foreground	/ˈfɔː(r)graʊnd/
echo	/ˈekəʊ/	forehead	/ˈfɔː(r)hed/
egg	/eg/	fought	/fɔːt/
eight	/eɪt/	four	/fɔː(r)/
end	/end/	fuel	/ˈfjuːəl/
ended	/ˈendɪd/	fulfillment	/fʊlˈfɪlmənt/
enjoyed	/ɪnˈdʒɔɪd/	fun	/fʌn/
enjoyment	/ɪnˈdʒɔɪmənt/	funny	/ˈfʌni/
enough	/ɪˈnʌf/	**G**	
erosion	/ɪˈrəʊʒn/	game	/geɪm/
exception	/ɪkˈsepʃn/	gap	/gæp/
expectant	/ɪksˈpektənt/	gel	/dʒel/
eye	/aɪ/	gem	/dʒem/
F		gentle	/ˈdʒentl/
face	/feɪs/	German	/ˈdʒɜː(r)mən/
fair	/feə(r)/	Gerry	/ˈdʒeri/
fall	/fɔːl/	gesture	/ˈdʒestʃə(r)/
family	/ˈfæməli/	get	/get/
fan	/fæn/	ghost	/gəʊst/
far	/fɑː(r)/	giant	/ˈdʒaɪənt/
fare	/feə(r)/	gin	/dʒɪn/
fast	/fæst/	ginger	/ˈdʒɪndʒə(r)/
father	/ˈfɑːðə(r)/	girl	/gɜː(r)l/
feat	/fiːt/	give	/gɪv/
feather	/ˈfeðə(r)/	glass	/glæs/
fee	/fiː/	glue	/gluː/
feet	/fiːt/	go	/gəʊ/
ferry	/ˈferi/	goat	/gəʊt/
filled	/fɪld/	good	/gʊd/
finger	/ˈfɪŋgə(r)/	grass	/græs/
finished	/ˈfɪnɪʃt/	great	/greɪt/

Grecian	/ˈgriːʃən/
groggy	/ˈgrɒgi/
guest	/gest/

H

hair	/heə(r)/
half	/hæf/
hand	/hænd/
happily	/ˈhæpɪli/
happy	/ˈhæpi/
hard	/hɑː(r)d/
hare	/heə(r)/
has	/hæz/
hat	/hæt/
have to	/hæf tuː/
have	/hæv/
he	/hiː/
head	/hed/
hear	/hɪə(r)/
heir	/eə(r)/
hello	/həˈləʊ/
hen	/hen/
her	/hɜː(r)/
here	/hɪə(r)/
hero	/ˈhɪərəʊ/
his	/hɪz/
hiss	/hɪs/
hold	/həʊld/
home	/həʊm/
honest	/ˈɒnɪst/
honey	/ˈhʌni/
honour	/ˈɒnə(r)/
hot	/hɒt/
hotter	/ˈhɒtə(r)/
hottest	/ˈhɒtest/
hour	/aʊə(r)/
how	/haʊ/
hungry	/ˈhʌŋgri/

I

ice	/aɪs/
idolize	/ˈaɪdəˌlaɪz/
important	/ɪmˈpɔː(r)tənt/
in	/ɪn/
included	/ɪnˈkluːdɪd/
information	/ˌɪnfə(r)ˈmeɪʃn/
ink	/ɪŋk/
international	/ˌɪntə(r)ˈnæʃnəl/
interrupt	/ˌɪntəˈrʌpt/
interview	/ˈɪntə(r)vjuː/
is	/ɪz/
island	/ˈaɪlənd/
isle	/aɪl/
it	/ɪt/

J

jeans	/dʒiːnz/
jeer	/dʒɪə(r)/
jest	/dʒest/
jet	/dʒet/
Jew	/dʒuː/
jewel	/ˈdʒuːəl/
joke	/dʒəʊk/
jot	/dʒɒt/
joy	/dʒɔɪ/
judo	/ˈdʒuːdəʊ/
June	/dʒuːn/

K

key	/kiː/
kind	/kaɪnd/
kiss	/kɪs/
kitchen	/ˈkɪtʃɪn/
kitten	/ˈkɪtn/
knee	/niː/
kneel	/niːl/
knife	/naɪf/
knit	/nɪt/

knob	/nɒb/	manageable	/ˈmænɪdʒəbl/
knock	/nɒk/	manner	/ˈmænə(r)/
knot	/nɒt/	map	/mæp/
know	/nəʊ/	me	/miː/
knuckle	/ˈnʌkl/	measure	/ˈmeʒə(r)/
L		meat	/miːt/
lace	/leɪs/	meet	/miːt/
lake	/leɪk/	mention	/ˈmenʃn/
lamb	/læm/	mesh	/meʃ/
lamp	/læmp/	might	/maɪt/
landed	/ˈlændɪd/	mighty	/ˈmaɪti/
lane	/leɪn/	mirror	/ˈmɪrə(r)/
large	/lɑː(r)dʒ/	Miss	/mɪs/
laser	/ˈleɪzə(r)/	Missed	/mɪst/
lead	/liːd/	mission	/ˈmɪʃn/
leaf	/liːf/	mitten	/ˈmɪtn/
learn	/lɜː(r)n/	mood	/muːd/
learning	/ˈlɜː(r)nɪŋ/	moon	/muːn/
leave	/liːv/	morning	/ˈmɔː(r)nɪŋ/
leg	/leg/	mosque	/mɒsk/
letter	/ˈletə(r)/	mother	/ˈmʌðə(r)/
lie	/laɪ/	mouse	/maʊs/
like	/laɪk/	mouth	/maʊθ/
liked	/laɪkt/	mow	/məʊ/
listen	/ˈlɪsn/	Ms	/mɪz/
live	/lɪv/	mum	/mʌm/
look	/lʊk/	mummy	/ˈmʌmi/
looked	/lʊkt/	muscle	/ˈmʌsl/
M		mutant	/ˈmjuːtənt/
mad	/mæd/	my	/maɪ/
make	/meɪk/	**N**	
male	/meɪl/	nail	/neɪl/
malfunction	/ˌmælˈfʌŋkʃən/	name	/neɪm/
malicious	/məˈlɪʃəs/	nap	/næp/
malnourished	/ˌmælˈnʌrɪʃt/	nappy	/ˈnæpi/
malpractice	/ˌmælˈpræktɪs/	near	/nɪə(r)/
mammal	/ˈmæml/	neat	/niːt/
		neck	/nek/

need	/niːd/
never	/ˈnevə(r)/
nice	/naɪs/
night	/naɪt/
no	/nəʊ/
noise	/nɔɪz/
none	/nʌn/
non-fiction	/ˈnɒnˈfɪkʃən/
non-smoking	/ˈnɒnˈsməʊkɪŋ/
non-stop	/ˈnɒnˈstɒp/
noon	/nuːn/
nose	/nəʊz/
not	/nɒt/
nothing	/ˈnʌθɪŋ/
noun	/naʊn/
now	/naʊ/
numb	/nʌm/
nun	/nʌn/

O

oasis	/əʊˈeɪsɪs/
oath	/əʊθ/
obtain	/əbˈteɪn/
occasion	/əˈkeɪʒn/
occupation	/ˌɒkjuˈpeɪʃn/
occupy	/ˈɒkjuːpaɪ/
odour	/ˈəʊdə(r)/
of	/ɒv/
off	/ɒf/
offense	/əˈfens/
office	/ˈɒfɪs/
oil	/ɔɪl/
old	/əʊld/
one	/wʌn/
opposite	/ˈɒpəzɪt/
optician	/ɒpˈtɪʃən/
option	/ˈɒpʃn/
our	/aʊə(r)/

P

pack	/pæk/
pass	/pæs/
pay	/peɪ/
pear	/peə(r)/
pen	/pen/
pencil	/ˈpensl/
phone	/fəʊn/
phoned	/fəʊnd/
phonetics	/fəʊˈnetɪks/
photo	/ˈfəʊtəʊ/
pig	/pɪg/
pin	/pɪn/
ping	/pɪŋ/
pleasure	/ˈpleʒə(r)/
plumb	/plʌm/
plumber	/ˈplʌmə(r)/
politician	/ˌpɒlɪˈtɪʃən/
posted	/ˈpəʊstɪd/
pretty	/ˈprɪti/
price	/praɪs/
prize	/praɪz/
profitable	/ˈprɒfɪtəbl/
pure	/pjʊər/
putt	/pʌt/

Q

queue	/kjuː/
quick	/kwɪk/
quiet	/ˈkwaɪət/
quite	/kwaɪt/

R

race	/reɪs/
rain	/reɪn/
rake	/reɪk/
ramp	/ræmp/
razor	/ˈreɪzə(r)/
read	/riːd/

received	/rɪˈsiːvd/	sleep	/sliːp/
recipe	/ˈresɪpi/	smack	/smæk/
red	/red/	smoke	/sməuk/
remove	/rɪˈmuːv/	son	/sʌn/
renew	/riˈnjuː/	song	/sɒŋ/
rent	/rent/	spaghetti	/spəˈgeti/
repaired	/rɪˈpeə(r)d/	staff	/stæf/
repay	/riˈpeɪ/	stair	/steə(r)/
repeat	/rɪˈpiːt/	stare	/steə(r)/
rice	/raɪs/	stayed	/steɪd/
rose	/rəuz/	steak	/steɪk/
rustle	/ˈrʌsl/	stopped	/stɒpt/
S		Sue	/suː/
sad	/sæd/	sun	/sʌn/
sadly	/ˈsædli/	sung	/sʌŋ/
salmon	/ˈsæmən/	supportive	/səˈpɔː(r)tɪv/
same	/seɪm/	sure	/ʃuə(r)/
sand	/sænd/	sympathize	/ˈsɪmpəθaɪz/
school	/skuːl/	**T**	
sea	/siː/	take	/teɪk/
see	/siː/	talk	/tɔːk/
sell	/sel/	tanks	/tæŋks/
several	/ˈsevrəl/	tea	/tiː/
shampoo	/ʃæmˈpuː/	tear	/tɪə(r)/
she	/ʃiː/	tear	/teə(r)/
sheep	/ʃiːp/	teat	/tiːt/
sheet	/ʃiːt/	Ted	/ted/
ship	/ʃɪp/	tee	/tiː/
shoe	/ʃuː/	teeth	/tiːθ/
sight	/saɪt/	television	/ˈtelɪvɪʒn/
signed	/saɪnd/	tell	/tel/
sin	/sɪn/	ten	/ten/
sing	/sɪŋ/	tent	/tent/
singing	/ˈsɪŋɪŋ/	than	/ðæn/
sink	/sɪŋk/	thanks	/θæŋks/
sister	/ˈsɪstə(r)/	that	/ðæt/
six	/sɪks/	the	/ðə/
sky	/skaɪ/	their	/ðeə(r)/

them	/ðem/
then	/ðen/
there	/ðeə(r)/
these	/ði:z/
they	/ðeɪ/
thigh	/θaɪ/
thin	/θɪn/
thing	/θɪŋ/
think	/θɪŋk/
third	/θɜ:(r)d/
thirst	/θɜ:(r)st/
thirsty	/'θɜ:(r)sti/
thirty	/'θɜ:(r)ti/
this	/ðɪs/
thistle	/'θɪsl/
thorough	/'θʌrə/
those	/ðəuz/
though	/ðəu/
thought	/θɔ:t/
thoughtful	/'θɔ:tfəl/
three	/θri:/
throat	/θrəut/
through	/θru:/
throw	/θrəu/
thumb	/θʌm/
tie	/taɪ/
tight	/taɪt/
tighten	/'taɪtn/
tobacco	/tə'bækəu/
toe	/təu/
tomorrow	/tə'mɒrəu/
ton	/tʌn/
tongue	/tʌŋ/
too	/tu:/
tooth	/tu:θ/
touched	/tʌtʃt/
tour	/tuə(r)/
tourist	/'tuərɪst/

toy	/tɔɪ/
tree	/tri:/
tunnel	/'tʌnl/
twenty	/'twenti/
two	/tu:/
typed	/taɪpt/

U

ugly	/'ʌgli/
unable	/ʌn'eɪbl/
uncle	/'ʌnkl/
unlucky	/ʌn'lʌki/
unpack	/ˌʌn'pæk/
unsuccessful	/ˌʌnsək'sesfəl/
upset	/ʌp'set/
useful	/'ju:sful/
usual	/'ju:ʒuəl/
utopia	/ju:'təupɪə/

V

van	/væn/
vast	/væst/
vegetable	/'vedʒtəbl/
veil	/veɪl/
vent	/vent/
verb	/vɜ:(r)b/
verse	/vɜ:(r)s/
very	/'veri/
vet	/vet/
vicious	/'vɪʃəs/
video	/'vɪdiəu/
vile	/vaɪl/
village	/'vɪlɪdʒ/
vine	/vaɪn/
visa	/'vizə/
vision	/'vɪʒn/
visited	/'vɪzɪtɪd/

W

waist	/weɪst/
waited	/ˈweɪtɪd/
walk	/wɔːk/
walkman	/ˈwɔːkmən/
want	/wɒnt/
warmer	/ˈwɔː(r)mə(r)/
warmest	/ˈwɔː(r)mest/
warmly	/ˈwɔː(r)mli/
wash	/wɒʃ/
water	/ˈwɔːtə(r)/
we	/wiː/
wear	/weə(r)/
weekend	/ˌwiːkˈend/
weigh	/weɪ/
weight	/weɪt/
went	/went/
wet	/wet/
whale	/weɪl/
what	/wɒt/
wheat	/wiːt/
wheel	/wiːl/
when	/wen/
where	/weə(r)/
which	/wɪtʃ/
while	/waɪl/
whisky	/ˈwɪski/
whisper	/ˈwɪspə(r)/
whistle	/ˈwɪsl/
white	/waɪt/
who	/huː/
whole	/həul/
whose	/huːz/
why	/waɪ/
win	/wɪn/
wine	/waɪn/
wing	/wɪŋ/
wink	/wɪŋk/

wish	/wɪʃ/
won	/wʌn/
worse	/wɜː(r)s/
wrestle	/ˈresl/

Y

yacht	/jɒt/
year	/jɪə(r)/
yell	/jel/
yellow	/ˈjeləu/
yes	/jes/
yesterday	/ˈjestɜː(r)deɪ/
yet	/jet/
yoke	/jəuk/
you	/juː/
you'll	/juːl/

Z

zero	/ˈzɪərəu/
zodiac	/ˈzəudɪæk/
zoo	/zuː/

For more on Phonetics…

Visit our website:
www.celticpublications.com

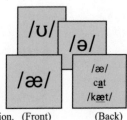

(Front)   (Back)

♣ Phonetic Symbols Flash Cards
A great way to help you to learn! For all ages.
Each symbol is on a separate card. Available in
3 sizes: small playing card size for students
and A5 and A4 size for teacher class demonstration.
Plus fun ideas and games to learn/teach the symbols.
Colour coded cards for consonants, vowels and
diphthongs. Learning is fun, easy and fast!

♣ Teaching Phonetics to Learners
of English Pronunciation
In easy language with lots of teaching tips
and some sample photocopiable exercises
from *"Phonetic Games and Activities for
the Classroom"* all in a sturdy ring-binder
for easier teaching and organising notes.

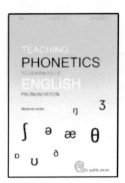

♣ Phonetics Games and Activities
for the Classroom
Full of games and activities to help teach
the phonetic symbols in an interesting and
fun way. It can also be used for revision and
for reinforcement of individual problem sounds.
Photocopiable! (for class use).
All in a sturdy ring-binder for easier teaching
and organising notes, and activities.
FREE coloured card **FLASH CARDS** included!

For SPECIAL OFFERS!...

Visit our website:
www.celticpublications.com

- **Special Offers**
- **Discounts**
- **Free Exercises**
- **Free Language Learning Tips**
- **Further Study** coming soon - phrasal verbs, mini grammar, etc.
- **Learning English in Ireland**

Other Titles:

- Learning English in Ireland, Student's Book
- Learning English in Ireland, Teacher's Book
- Learning Traditional Irish Songs (+CD)
- Celtic Art Activities
- Play Money for Games and Activities
- Ireland Table Quiz
- …plus more coming…

Join our mailing list:

Send us your details (name, email address or postal address) and we will send you information about our books, special offers and discounts as they become available. (We respect and protect your privacy and DO NOT give your details to any other company.)

Each month, all new members on our mailing list will go into a draw to win a *Signed* copy of "*Phonetics for Learners of English Pronunciation*".

Contact Us:

email: info@celticpublications.com
web :   www.celticpublications.com

Your FREE Audio CD...

COLEG GLAN HAFREN LRC PARADE